地《じ》頭《あたま》力《りょく》を鍛える

問題解決に活かす「フェルミ推定」

細谷功

東洋経済

はじめに

なぜいま「地頭力《じあたまりょく》」が必要なのか？

あなたは日々の暮らしの中でどこまで本当に自分の頭を使って考えているだろうか？

いま「考える」ことの重要性がかつてないほどに高まっている。

インターネットによる情報検索が発達し、世界中のありとあらゆる情報が一瞬にして入手できるようになった。その結果として情報量という観点からは専門家と素人の差がほとんどなくなってきている。ところがこの膨大な情報量そのものが我々の世界をある意味で危機にさらしている。


ここに日本経済新聞の二〇〇七年四月二十日付の記事がある。「コピペ思考」というタイトルで、インターネットで検索した内容をそのまま「コピー&ペースト」してレポートにする若い研究者のことが掲載されている。インターネットの情報を使えば、表面上だけは専門家と同等レベルの論文を作成することが可能になったが、実は深い考察や事実・データによる検証に裏付けられたものでも何でもない。これは情報の洪水とお手軽な検索ツールの発達による「コピペ族」

の増殖に伴う人々の思考停止の危機の一例を表している。

インターネット情報への過度の依存は三つの意味での危険をはらんでいる。第一は、素人参加型の情報源であるゆえ、鮮度が高い反面で精度に疑いが残るということ、第二はITや通信技術をはじめとした技術革新等、環境変化が著しく速くなってきたために陳腐化が激しくなってきていること、そして最後に情報への過度の依存が思考停止を招く可能性があることである。

インターネットの向こう側にある情報の大海というのは諸刃の剣である。検索エンジンによってすべての人間が膨大な情報への簡単なアクセスを手にした。しかしこういった膨大な情報を単に「コピペ」するという姿勢で使っていたのでは人間の考える能力は退化していき、そのうちにコンピュータにその役割は取って代わられて、そういった人たちはたちまち大海の藻屑として散るだろう。ただし、その反面で考える力（本書でいう「地頭力」）を身につけた人はこの膨大な情報を駆使してこれまでとは比べ物にならないような力を発揮できる可能性がある。本書ではこの二極化を「ジアタマデバイド」と呼ぶ。

大宅壮一氏が「一億総白痴化」という言葉で、テレビの普及に対しての警鐘を鳴らしたのはすでに五十年以上も前のことである。そしていま、ふたたび世界は「インターネットによる総白痴化」の危機を迎えているといっても過言ではない。いまや漢字や電話番号はすべて携帯電話が「憶えて」くれており、単なる記憶力に関してですら、我々はますます頭を使わなくてもすむようになってしまった。

そうした危機感を反映してか、「脳力開発」「ロジカルシンキング」がビジネスパーソンの間でブームであり、数学が苦手な人や学生時代に理数系を専攻したビジネスパーソンに向けた数学本なども売れ行き好調のようである。またこうした傾向は日本にとどまらず、日本で命名された「数独」は海外でもブームを巻き起こしている。

これから本当に重要になってくるのはインターネットやPCでは代替が不可能なエリア、膨大な情報を選別して付加価値をつけていくという、本当の意味での創造的な「考える力」である。考える力を持っていれば、知識や経験が陳腐化すること自体は少しも恐れるに足らない。最新の情報はインターネットでいくらでも入手できるから、あとは自分の力を使って考えることによって新しい知識をいくらでも生み出していけるからである。

本書ではこの基本的な「考える力」のベースとなる知的能力を「地頭力」と定義した。「地頭」という言葉はコンサルティング業界や人事採用の世界では比較的日常的に使われていたが、定義があいまいで、かつ世間一般にはそれほど浸透している言葉ではなかった。筆者にとっても明確な定義のあるものではなかったが、十年以上にわたって「徹底的に考えること」を使命とするビジネスコンサルタントとして現場で様々な問題解決をクライアント企業とともに実施していくうちに問題解決に必要なベースとなる能力が明確になってきた。併せて若手コンサルタントとのプロジェクト活動を通じて、短期間で成長していくコンサルタントに共通の思考回路としての考える力のベースとなる部分、すなわち「地頭力」というものが存在することを強く意識するようになった。そしてまたその本質が「結論から」「全体から」「単純に」考えるという後述の三つの思考力を中心とする三層構造であると結論づけるに至ったのである。

そもそも「地頭」は鍛えられるのか?

読者の中には、「地頭とは生まれつきの頭のよさなのだから、そもそも『地頭を鍛える』ということはできない、あるいは自己矛盾した言葉なのではないか?」と思われる人もいるかもしれないが、それは本書における定義においては必ずしも正しくない。確かに「地頭」という言葉が「生まれつきの頭脳」という意味で用いられる場合もあるが、本書における定義は「考えるために基本となる力」としての三つの思考力とそのベース力と定義しており、この意味における「地頭力」、特に三つの思考力というのは訓練によって必ずあるレベルまでは到達できると考える。

「フェルミ推定」で地頭力を鍛える

それでは具体的に「地頭力」を鍛えるにはどうすればよいのか?

本書ではその具体的な訓練のツールとして「フェルミ推定」というものを紹介する。

筆者がフェルミ推定に初めて出会ったのは十年以上前、コンサルティング業界に入ってからのことであった。当時はそれを「フェルミ推定」と呼ぶということは知らずに「日本中に郵便ポストはいくつあるか?」「ガソリンスタンドは何軒あるか?」といった、容易には算出困難な数値を算出する課題がコンサルティング会社の面接で問われるということで、好奇心をそそられて興味は持ったものの、その時点ではその本質や奥の深さにまでは気づいていなかった。

時を経てコンサルティングの現場での経験を重ねるうちに、コンサルタントの使命とする「問題解決」におけるフェルミ推定の本当の威力や、その奥の深さに気づいていくことになる。フェルミ推定は問題解決の縮図であり、きわめてシンプルで誰にもわかりやすい敷居の低さを持ちながらも問題解決の方法論が凝縮されてここにつまっており、すぐに伸びていくコンサルタントはこのフェルミ推定の「ツボ」（基本精神）をしっかりと押さえている。

こうしたことからフェルミ推定が、先に触れた「結論から」「全体から」「単純に」考える「地頭力」を鍛えるための強力なツールと信じている。

インターネットには中毒性がある（これもテレビと一緒である）。したがって、この「ネット検索中毒」から脱するのは容易なことではない。考えるより先に検索エンジンへの入力の手が動いてしまうという「中毒症状」から脱して考える癖をつけるためには、「自らを羽交い絞めにして」でも検索をやめて一度立ち止まって考える癖をつけなければならない。

そのために「フェルミ推定」というツールを「ジアタマデバイド」への対策として活用してほしい。

本書の構成

本書の構成は、まず第1章では本書のメインテーマである「地頭力」について、その定義と意義、およびその構成要素について解説するとともに、今後必要な「考える」知的能力を持った人間として「地頭型多能人」（バーサタイリスト）というものを提案する。次に第2章で二つ目のキーワードであり、おそらくほとんどの読者になじみのない「フェルミ推定」の定義とその意義を解説し、次の第3章で具体的なフェルミ推定の例題を用いて地頭力を鍛えるのにどう役に立つかの関連を説明する。続いて第4章では現実のビジネスへのフェルミ推定の精神の活用方法を紹介し、第5、6、7、8章では地頭力の各構成要素、三つの思考力とベース力に関して個別に詳細を述べる。第9章では再びフェルミ推定にもどって、その応用例を紹介するとともにフェルミ推定以外の地頭力強化のためのツールを紹介するという構成である。

「フェルミ推定」および「地頭力」に関して包括的に定義・解説した類書はこれまで存在しておらず、そうした点で本書は他に類を見ないものと考えている。

「地頭力」でジアタマデバイド時代を生き残る

本書が対象とするのは、若手のビジネスコンサルタントや企業における「問題解決」を必要とする業務に携わるビジネスパーソン、あるいは起業家（とその予備軍）に加えて、「考える力」を向上させたいと考える学生や研究者等のすべての職業の人であり、今後の日本を背負っていく人たちである。

本書を通じて「インターネットによる思考停止の危機」を食い止めるとともに、これまで知識詰め込み偏重であった日本人全体の「地頭力」、ひいては問題解決能力が向上し、世界におけるかつての競争力を取り戻すことに少しでも貢献ができればと考えている。

フェルミ推定による地頭力トレーニングの世界へようこそ。

ぜひ「地頭力」という武器を持ってインターネットの情報の大海をうまく乗り越え、読者なりの「新大陸」を発見していただきたい。

ではよい航海を。

二〇〇七年十月

細谷　功

目次

カバーデザイン 竹内 雄二
本文DTP アイランドコレクション

第1章

「地《じ》頭力《あたまりょく》」とは何か

「地頭力《じあたまりょく》」を定義する

まず第1章では、本書のメインテーマである「地頭力」について定義をし、その内容について構成要素に分解して解説を試みる。

「地頭」という言葉は人材採用の世界やコンサルティング業界では比較的頻繁に用いられる言葉ではあるが、一般にはなじみの薄い言葉かもしれない。あるいは一般にもなんとなく用いられてきたとしてもきわめて定義のあいまいな言葉であった「地頭」という言葉についての筆者独自の定義をここでは紹介する。

「頭のよさ」は三種類

まず俗に言われる「地頭のよさ」とは何かを整理しておこう。人材採用の場面でよく「地頭のいい人を採りたい」等という表現を聞く。わかったようで定義のあいまいな言葉である。

これは世に言う「頭のよさ」とはどこが違うのだろうか。読者のまわりの知人やマスコミに登場する有名人等の中から、「頭がいい」と思う人を思い浮かべてみてほしい。およそ三種類に大別できるのではないだろうか。

第一は記憶力がよく何でも知っている「物知り」の人である。複数のクイズ番組に登場して優

図1-1　地頭力の定義

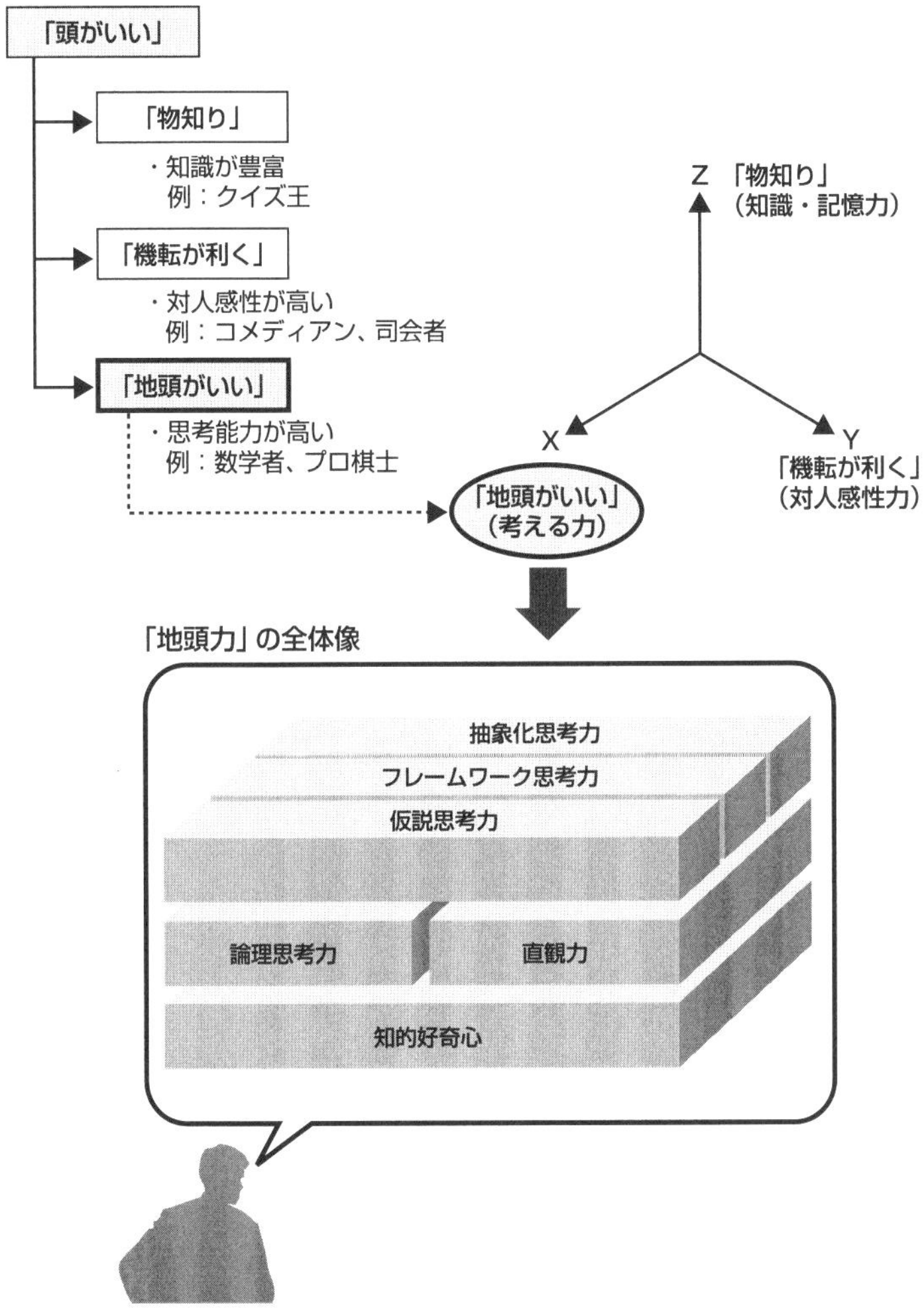
「頭がいい」
「物知り」
・知識が豊富
例：クイズ王
「機転が利く」
・対人感性が高い
例：コメディアン、司会者
「地頭がいい」
・思考能力が高い
例：数学者、プロ棋士
Z 「物知り」
（知識・記憶力）
X
Y
「機転が利く」
（対人感性力）
「地頭がいい」
（考える力）
「地頭力」の全体像
抽象化思考力
フレームワーク思考力
仮説思考力
論理思考力
直観力
知的好奇心

勝をさらっているような「クイズ王」や、何カ国語にも通じている語学の達人等がこれに該当する。こういった人たちの武器は記憶力に裏付けられた知識力といえる。

第二は、対人感性が高くて人の気持ちを瞬時に察知して行動できる、「機転が利く」あるいは「気が回る」タイプの人である。このタイプはコミュニケーション力が高く、他人の気持ちを先回りして理解したり、自分の気持ちを率直に表現したりすることに長けており、感情に訴えることも得意なタイプである。具体例としては、多数の出演者を相手に軽妙な切り回しをするテレビ番組の司会者、瞬時の切り返しで笑いをとるコメディアン、あるいはお客の「心」をつかむのがうまい優秀な営業マン等、直接の顧客接点の高い職種にもこのタイプの人が多い（数年前にベストセラーになった、『生協の白石さん』（講談社）の白石さんもこのタイプの典型だろう）。

そして最後のタイプが数学の問題やパズルを解くのが得意な「考える力」の強いタイプで、これを本書では「地頭がいい」タイプと定義する。言い換えるとあらゆる問題解決をする上での基本となる考える力が地頭力といってもよい。

三つの能力はいずれもビジネス（あるいは日常生活でも）には不可欠な知的能力ではあるが、特に「地頭力」というのは、未知の領域で問題解決をしていく能力という点で、環境変化が激しく、過去の経験が未来の成功を保証するとは限らない現在において重要な能力といえる。残り二つの能力にも簡単に触れた上でそれらの比較からの位置づけも踏まえて地頭力の重要性についで整理しておこう。

「物知り」タイプの有する記憶力

はじめに「物知り」タイプの人の有している能力、これは記憶力、あるいはその記憶力を利用した知識力である。

ビジネスであれ日常生活一般であれ、多種多様な知識を幅・深さともに有していること、あるいはそのための記憶力を有していることは何においても最大の強みの一つである。何ごとも知らないよりは知っている方が有利な場面が圧倒的に多いし、自ら体験した知識としての経験は何ごとにも代えられない貴重な個人の資産となって働く。

しかしながら環境変化の大きい今日においては、単なる断片的な知識を豊富に有しているだけでビジネスの場を乗り切っていくのは難しくなってきており、この能力の相対的重要性は低下してきている。この理由は大きく三つある。

第一はグローバルなインターネットの発達によって、情報入手が誰でも容易に行えるようになり、その道の専門家と一般人との情報量の差がなくなってきていることである。いまや「グーグル（Google）」等の検索エンジンを使えば世の中に存在する公開情報は素人でも瞬時に入手することが可能になってきた。その結果として、情報を持っていることそのものはほとんど意味を持たなくなってきてしまった。必要なときに簡単に入手できるのであれば、なにも限られた人間の脳力を（コンピュータの方が得意な）記憶や検索に費やす必要はなくなってきたのである。

第二に世の中の動きが速くなり、情報の陳腐化が激しくなってきたことが挙げられる。所詮陳腐化する知識であれば（ＩＴ知識が代表的であるが）、その道の専門家にもしなったとしてもそれで一生食べていかれる時代ではなくなってきているのである（もちろんそうでない領域も依然として存在する）。

最後の理由は、過去の経験そのものが未来の成功を即保証する時代ではなくなってきていることである。新しいビジネスモデルを考えていく上で過去の成功体験や法則というのは必ずしも役に立つとは限らない。例えば昨今言われるインターネットの世界の「ロングテール」現象は顧客分析の定番であったパレート（あるいは20／80）の法則（例えば二〇％の顧客が八〇％の利益を占める）が当てはまらなくなってきていることを表している。

「機転が利く」タイプの有する対人感性力

二番目に必要な能力が対人感性力である。

「場の空気が読める」という、理屈では説明のできない能力がこのタイプの人の有する特殊能力である。一般的に言って、人間関係でもまれ、苦労している人にはこの能力の高い人が多い。ある意味合理性の対極ともいえる能力であるが、ビジネスや日常生活を円滑に進めていくには今昔を問わず必須の能力である。特に「人を動かす」にはこの対人感性力が不可欠である。前項で挙げた知識力と比較しての特徴としては、陳腐化することがほとんどないことが挙げられる。

表1-1　3つの知的能力の比較

	地頭力	対人感性力	記憶力（知識力）
形容する言葉	「地頭がいい」	「機転が利く」	「物知り」
優秀な職業の例	数学者、プロ棋士	コメディアン、司会者	クイズ王
漢字一言で表現すると	理	情	知
陳腐化	ほとんどしない	ほとんどしない	速い
5W1Hで表現すると	Why思考	How思考	What思考
どうすれば鍛えられるか？	問題解決のトレーニング	人間関係でもまれる	暗記型勉強
機械による代替性	一部利く（論理性）	利かない	利く
汎用性（「つぶし」の利き具合）	高い	高い	低い

そして考える力が高いタイプが有する「地頭力」

三つ目の知的能力、これが本書のテーマとする「地頭力」である。なぜ地頭力が重要なのか？　先述のとおり、コンサルティング会社等における人材採用の基準の一つになっている最大の理由は、「地頭のいい」人材というのは潜在能力が高く、どんな分野に取り組んでも業務知識の習得が速くて高いパフォーマンスが期待できるからである。また地頭力というのは基本的に陳腐化しない。逆にいえば地頭力というのは昔から変わらない能力なのである。

三つの力のまとめ

ここまで述べてきた「頭のよさ」は、言い方を変えれば、ビジネスや日常生活に必要となる知的能力の定義である。ここでこれら知的能力における地頭力の特徴を他の二つの能力との比較で整理しておこう（表1―1）。

知的能力を「面」で語る

次にこれら三つの知的能力の特徴をより具体的に把握し、イメージをより明確につかんでいただくために、これらのうちの二つずつの能力を組み合わせた各「平面」が活用される場面を解説しておこう。

旧来の会社経験で養われた「YZ平面」

まず地頭力以外の二つの能力を組み合わせた「YZ平面」すなわち、知識・記憶力と対人感性力の組み合わせ平面を考えてみよう。この平面が活用され、訓練される場面とはどんな場面だろうか。代表的なのが、これまでの伝統的な日本の大企業においてであった。伝統的な日本の大企業で成功するために必要な、言い換えれば社内で昇進するための能力は何であっただろうか。例えば社内人脈、根回し力、「飲ミニュケーション」力、社内政治力、(以上主にY軸)、特殊な社内ルールへの精通、これまでのビジネスモデルにおける実績、特殊な規制や業界事情、その業界内での成功要因に関する知識(以上主にZ軸)等ではなかっただろうか。これらは図1－2に示すようにY軸とZ軸から形成される「YZ平面」の強さであり、この土俵でいかに戦えるかがこうした企業モデルにおける成功要因だったのである。

図1-2　YZ平面は伝統的会社平面

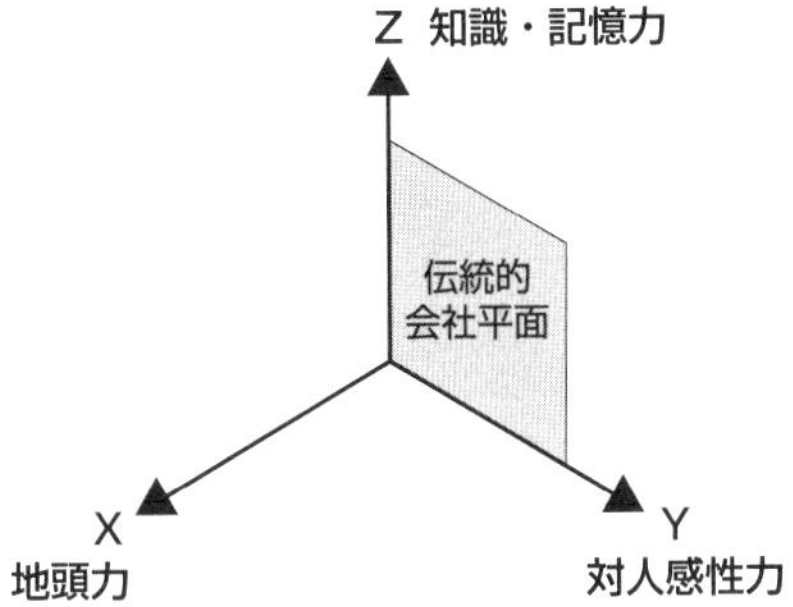

これまで中途採用のための面接試験において、「地頭のよさ」を試したいニーズがあったが、それはこの三軸のモデルで考えると簡単に説明できる。中途採用の候補者を見きわめる際に履歴書等から、伝統的な企業で実績を上げているというのは、主にその候補者がY軸とZ軸にすぐれていることを保証していることが多い。ただし、残りのX軸、つまり「地頭力」の強さについては未知数であるためにこれは面接その他の方法によって確認する必要があるのである。

受験勉強で試される「XZ平面」

次に「XZ平面」であるが、これが最大に生かされ、あるいは鍛えられる分野というのが大学受験を筆頭とする「試験勉強」である。試験勉強で成功するための要因は何か、それは大きく二つのタイプに分けられる。いわゆる「暗記型」（Z軸型）か、「理数系型」（X軸型）かである。先の採用試験にもどると、履歴書か

図1-3　XZ平面は試験勉強平面

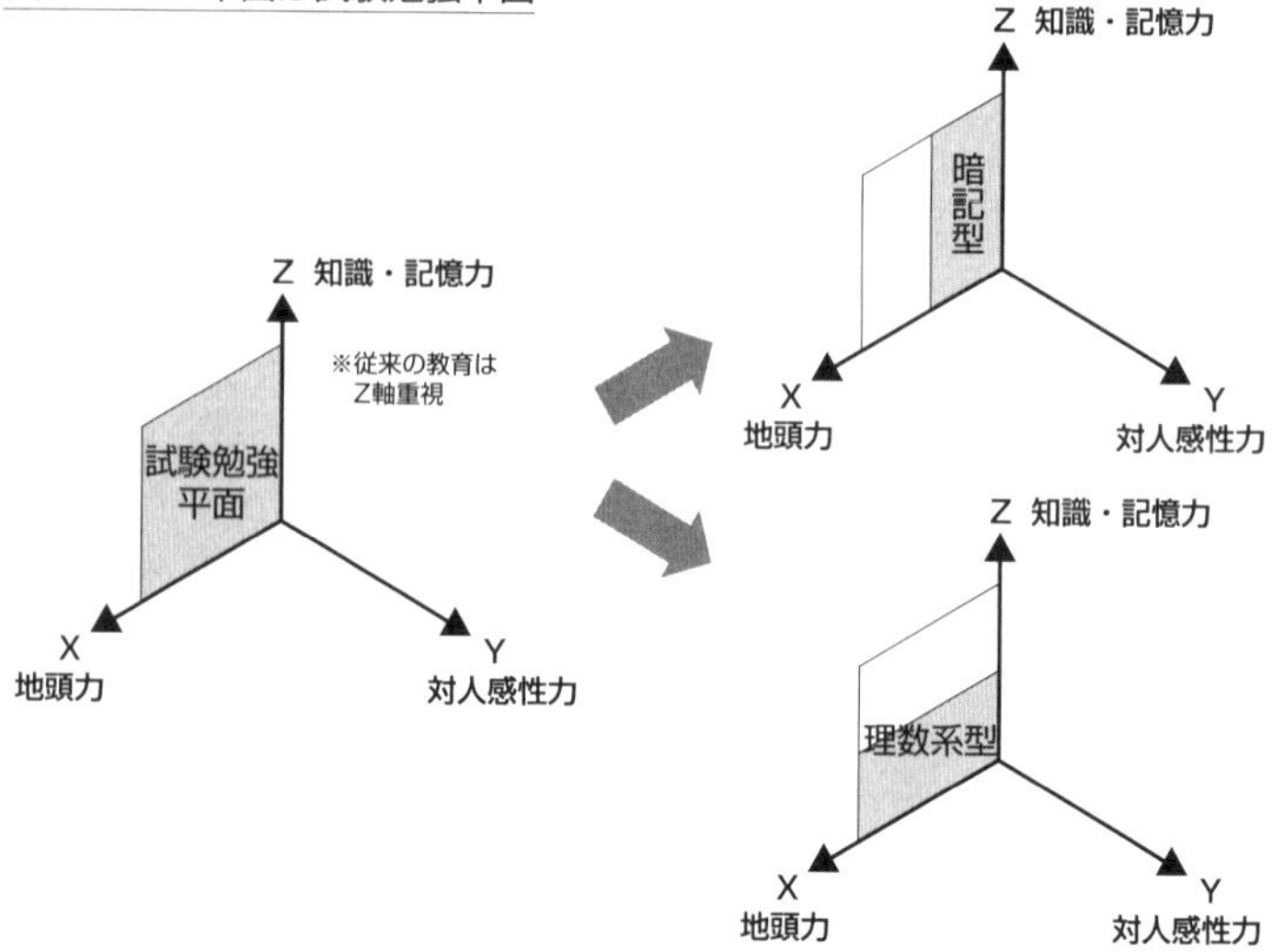

らわかる学歴の高さや各種試験への合格実績というのはほぼこの「XZ平面」の面積が大きいことを意味するのだが、これには①Z座標の大きさで面積を稼ぐか、②X座標の大きさで面積を稼ぐかの二とおり（あるいはその両方）があるために、候補者がどちらのタイプかを試すためにフェルミ推定等の質問が用いられるのである。

「知の触媒機能」に必要な「XY平面」

最後の平面が「XY平面」である。この平面は「考える力」の地頭力と「伝える力」の対人感性力の組み合わせであり、表1-1にあるとおりに一度身につけてしまえば（あるいは生まれつき持っていれば）陳腐化することが少なく、死

図1-4　XY平面は知の触媒平面

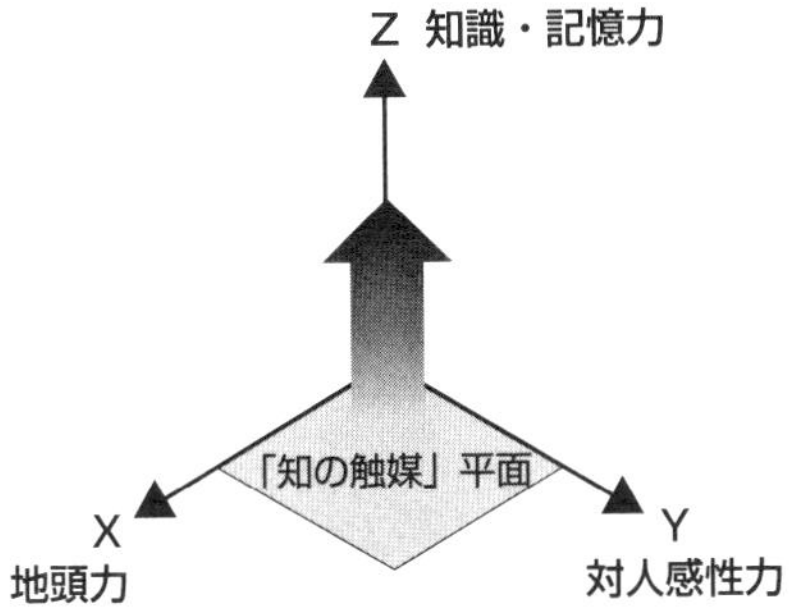

ぬまで役に立つスキルセットである。この平面は残りの一軸であるZ軸（知識・記憶力）を活用し、増幅させてさらに新しい知識を生み出して伝達していくという点でいわば「知識の触媒機能」ともいえるもので、知識の増殖・伝播機能を果たすと考えられる。知識の陳腐化が激しい現代にあっては、インターネット等で収集した情報・知識をこのXY平面の力で増幅させて新たな知を創造して付加価値を創出していくというのが理想的なサイクルと考えられる（図１−４）。

「地頭力」の構成要素

次に、地頭力そのものを構成要素に分解してみよう。地頭力は図１−５に示すような構造になっており、①地頭力の直接的な構成要素となる三つの思考力、②それらのベースとなる論理的思考力と直観力と③すべての基礎となる知的好奇心という三層構造

図1-5　地頭力の三層構造図

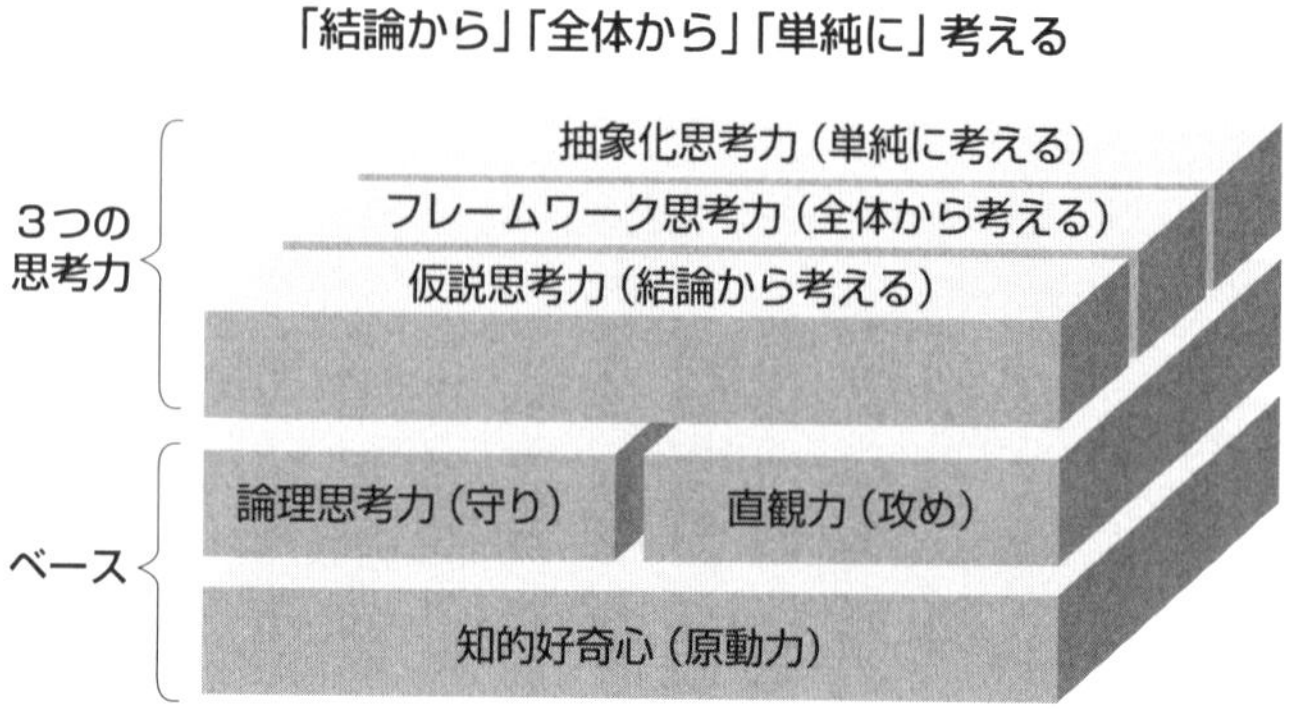

と定義できる。これらの構成要素を個別にみてみよう。

ベースとなる三つの力

まずは問題解決に対する知的好奇心がすべての基本となる、いわば地頭力の原動力である。次に地頭力のベースとなるのが、論理思考力と直観力である。昨今のロジカルシンキングブームではかなり拡大解釈されている「論理思考力」であるが、狭義でいうところの論理思考力とは基本的に「事象間を筋道立てて考える力」という定義とする。これはいわゆる左脳的思考、あるいは「サイエンス」的な発想である。このブームの中では思考力＝論理思考力と捉える考え方もあるが、「地頭力」には少なからず「ひらめき」を伴う右脳的思考あるいは「アート」ともいえる

表1-2　地頭力の３つの思考力の比較表

	仮説思考力	フレームワーク思考力	抽象化思考力
一言で言うと…	結論から考える	全体から考える	単純に考える
メリット	最終目的まで効率的に到達する	思い込みを排除し、①コミュニケーションの誤解の最小化、②ゼロベース思考を加速する	応用範囲を広げ、「一を聞いて十を知る」
プロセス	①仮説を立てる ②立てた仮説を検証する ③必要に応じて仮説を修正する （以下繰り返し）	①全体を俯瞰する ②「切り口」を選択する ③分類する ④因数分解する ⑤再俯瞰してボトルネックを見つける	①抽象化する ②モデルを解く ③再び具体化する
キーワード	・ベクトルの逆転（逆算） ・少ない情報で仮説を立てる ・前提条件を決める ・「タイムボックス」アプローチ	・絶対座標と相対座標 ・ズームイン（全体→部分）の視点移動 ・適切な切り口（軸）の設定 ・もれなくダブりなく（MECE）	・具体⇔抽象の往復 ・モデル化 ・枝葉の切捨て ・アナロジー（類推）

直観力が必ず必要とされる。

地頭力に固有の三つの思考力

これらをベースとした上で「地頭力」固有の要素が、①「結論から考える」仮説思考力、②「全体から考える」フレームワーク思考力、③「単純に考える」抽象化思考力の三つである。本書では主にこの「三つの思考能力」を地頭力の主たる構成要素として議論する。

表１−２にこれら三つの思考力の概要比較として、そのプロセス、ポイント等を示す。

なぜ「地頭力」が重要なのか

なぜ地頭力が重要なのか？

時代の変化によって、知的能力に占める

重要性が知識力から地頭力に変わってきていることは前述のとおりだが、具体的にはどんなメリットがあるのだろうか。

「圧倒的に」生産性が上がる

まず最大のメリットは、地頭力を鍛えると圧倒的に仕事の生産性を上げる（効率的に進める）ことができるのである（「圧倒的に」というところがポイントである）。具体的に三つの思考力を習得するとどんなメリットがあるかみてみよう。

まずは仮説思考力である。「結論から」考えることによって、最終目的まで最も効率的な方法でたどり着くことができるようになる。会議を何度も何度も繰り返しても話が発散して行ったり来たりしたあげくにまったく結論が出ないという経験をしたことはないだろうか。常に最終目的を意識した上で結論から考える癖をつければ、こうしたことは最小限に抑えられるようになり、会議を有効に進めて所定の結論に導いていくことができるようになる。

次にフレームワーク思考力である。「全体から」考えることと生産性向上にどういう関係があるか？「全体から」考えることの最大のメリットはコミュニケーションにおける誤解や後戻りの最小化である。部分から考えるということは個人の思い込みや思考の偏りを排除できずに、途中で誤解が発生してコミュニケーションの後戻りによって非効率になるのである。「全体から」フレームワークで考えるというのは、はじめから全体像を共有してから議論を進めるという点で後戻りを最小化することができるようになるのである。

最後に抽象化思考力である。「単純に」考えることによって、意思統一が図りやすくなるとともに、抽象化思考の本質である、「応用力を広げることによって少ない知識を様々な範囲に応用して、新しいアイデアの創造や効率化等を飛躍的に図っていくこと」ができるようになるのである。三つの思考力の具体的な応用等の詳細に関しては第5、6、7章で解説する。

「結論から」「全体から」「単純に」は経営者の発想そのもの

「圧倒的に生産性が高い」人たちの例として、経営者を挙げておこう。

世の経営者やトップマネジメントと呼ばれる人たちは地頭力が高い人が多く、思考回路が「結論から」「全体から」「単純に」考えるようにできていることが多い。これはなぜか？　理由は大きく三つほど考えられる。まず、経営者が全体思考であるのは納得できるであろう。あくまでも部門代表者でなく、一般社員よりははるかに上空から会社を見ていく必要に迫られる。第二に様々な経営課題を次々とこなすために、記憶力だけでは太刀打ちできず、膨大な知識を整理し、活用するための考える力が必須だということである。そして最後に、経営者というものは基本的に人並みはずれて忙しく、時間がないと同時にその中で最高の結果を求められるからである（ここでは特に「圧倒的な生産性」が要求される）。では忙しく時間がないとなぜ自然にこういう思考回路になるのか？

「結論から」というのは明らかだろう。検討や分析の経過が延々と続くプレゼンテーションをしていると、経営者は間違いなく「早く結論を言ってくれ」となる。

経営層にプレゼンテーションや説明をする際に注意すべきことというのは、こうした思考回路に合わせてこちらも説明する、つまり「結論から」「全体から」「単純に」説明することが必要となるのである。コンサルタントの面接試験で地頭力が試される重要な理由の一つがここにある。こういったツボを押さえていないと、経営層に説明する機会があっても要領を得ずにコミュニケーションがうまく取れない場合が多い。この大きな理由は、まず「結論から」でなく「プロセスから」説明してしまって「結論は何なの?」と相手をいらだたせることである。また「全体から」考えることができないと、いきなり対象のトピックから説明して「今日はいったい何の話?」ということになる。そして「単純に」考えられないと、複雑かつ冗長な説明で「要するに何なの?」ということになってしまう。また当然のことながら説明はシンプルでなければならない。つまり、「単純に」説明することも求められるのである。

もちろん、一口に経営層といっても中小企業のオーナー経営者から大企業の取締役まで様々ではあるが、「会社全体の経営」という視点で考えることと地頭力との関係はおわかりいただけると思う。

図1-6　思考回路としての地頭力

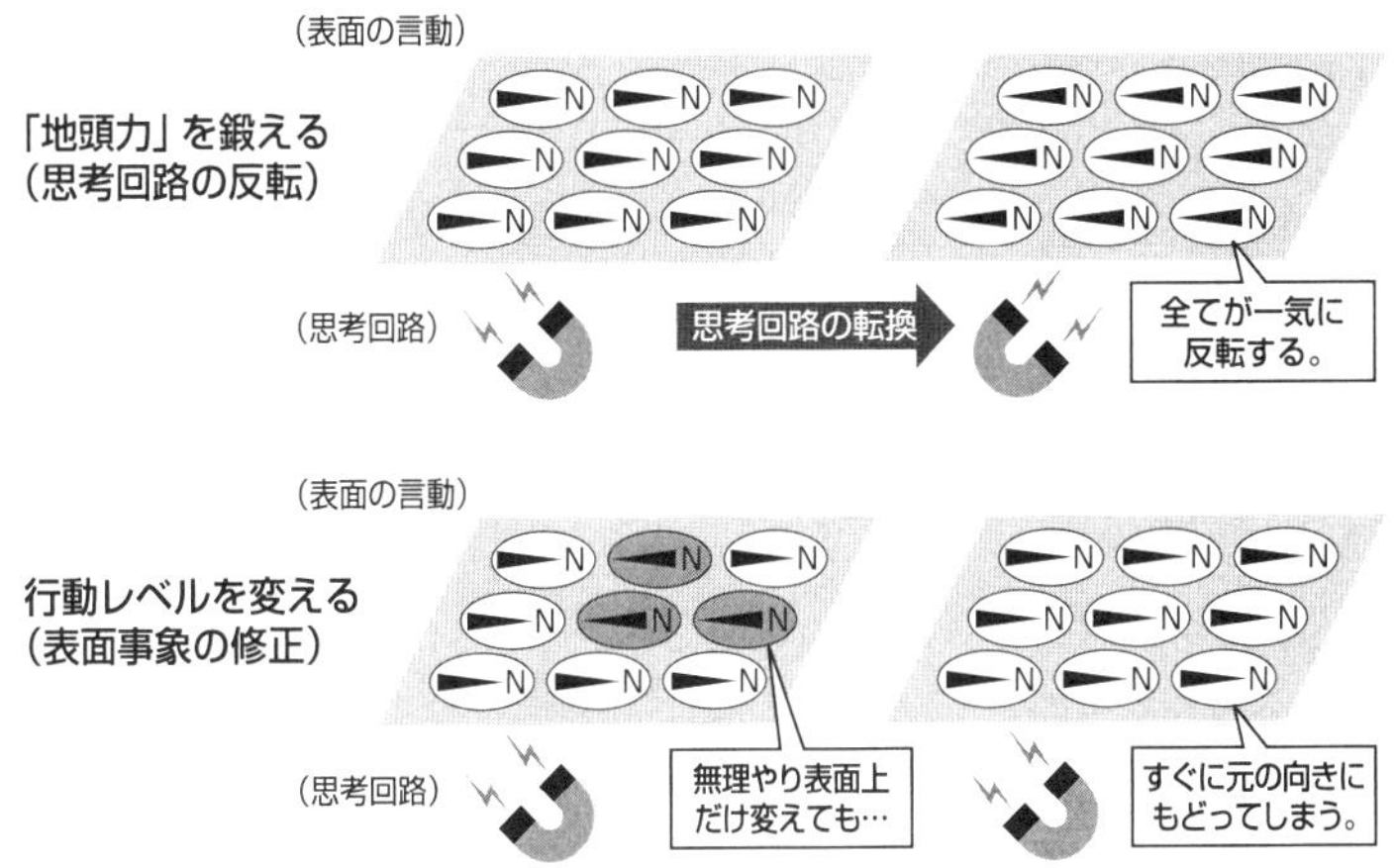

思考回路としての重要性

もう一つ、地頭力を鍛えることの有効性を記しておこう。

地頭力というのは、ある意味人間の行動パターンの基本となる「思考回路」である。これを変えるとすべての行動パターンが変わってくるために、単なる行動を一つ一つ変えるのとはインパクトの大きさがまったく違う。図1-6を見てほしい。これは人間の思考回路と個々の行動との関連を示したものである。図中の「磁石」が思考回路、表面上の各「コンパス」が一つ一つの行動と考えてほしい。人間の行動というのは根本にある思考回路で支配されているので、表面上の行動を個別に修正しようと思っても思考回路が変わっていない限り簡単に変わることはできない。行動様式を一変させるためには思考回路をがらっと変える、すなわち「地頭力」のようなベーシックな思考回路を変えていく必要があるのだ。

トレーニングは二種類のアプローチ

ここまでの議論を踏まえた上で、人材育成のアプローチを考えてみよう。人を育てていくには大きく二つのアプローチがある。すなわち①「磁石」のレベル、すなわち思考回路を変えるか、②「コンパス」のレベル、すなわち個別の行動を変えていくかである。

この二つのアプローチにはそれぞれ長所短所がある。①の思考回路を変えるアプローチというのは、一気に行動パターンを変えてしまうという点でより本質的・根本的アプローチである反面で、実行して効果を上げるには時間がかかり、難易度も高いという問題がある。一方で②の行動のレベルでの改善というのは一件一件が具体的であって、改善が簡単である反面でやっていることが表面的になってしまう。また、その場では直ってもすぐにまた元にもどってしまうという弱みと裏腹の関係になっている。山本五十六の「やってみせて　言って聞かせて　やらせてみてほめてやらねば　人は動かず」という言葉は主にこの②の行動レベルを徹底的に攻略するという方法論である。このレベルでさえ率先垂範して指導してもなかなか人を動かすのが難しいと言っているのだから、①のアプローチを取るのがいかに難しいかはおわかりだろう。ただし、磁石を変えない限り決して根本的な解決にはならないため、①②をうまく両方生かしながら人材育成を図っていくことが重要となる。

「地頭力を鍛える」ことは可能なのか

ではそもそも、その思考回路たる地頭力を鍛えることは可能なのだろうか？

「はじめに」で述べたとおり、本書での「地頭」の定義は生まれつきのものという意味ではなく、考える上で基本となる力としており、訓練によってある程度までのレベルアップは可能である。「地頭」という言葉は野球などでいう「地肩」という言葉に似ている。例えば「地肩が強い」という言い方をする。これには「生まれつき」の肩の強さであるというニュアンスも含まれるが、むしろ投手にも捕手にも外野手にも汎用的に何にでも通用する基本動作としての肩の強さという意味がある。「地頭」も同様で、あらゆる思考の基本・土台となる考え方というニュアンスである。これには生まれつきの素質の部分も少なからずあるが、訓練で鍛える余地は十分にあり、現に筆者の周囲のコンサルタントも含めて、日々の絶え間ない訓練と「場数」で間違いなく向上するのである。「地頭力を鍛える」というのはダイヤモンドの原石を磨いて輝きを出すようなものである。どんな原石でも丹念に磨けば必ずある程度は光り輝くようになるし、またどんな人も輝くべき原石の要素を有しているのである。

また、地頭力は毎日の習慣のたまものであるともいえる。「考える」という行為は、そのアウトプットの良否もさることながら、習慣づけをすることそのものが最大の威力となるのである。

そういった意味でも、本書で提案するようなプロセスやツールを使って考える習慣をつけるだけでも「地頭力」を向上させることができることに疑いの余地はない。

「デジタルデバイド」から「ジアタマデバイド」へ

インターネット革命によって、「専門家」の「素人」に対する優位性は大きく変わってきた。インターネット以前というのは、専門家と素人の間に圧倒的な情報量や知識・経験の差があり、これが個人の能力差となってあらわれていた。ところがインターネットというツールの普及の結果、これをうまく活用すれば情報が簡単に入手でき、活用次第によっては専門家に近い知識を素人が身につけることも簡単にできるようになった。電子メールやeコマース等のインターネット黎明期に問題になったのが、「情報リテラシー」と呼ばれるＩＴを使いこなすスキルの有無や技術インフラ所有の有無による二極化、すなわち「デジタルデバイド」であった。

その後携帯電話におけるインターネットの活用の飛躍的進展による若年層への広まりやＰＣの使い勝手の向上、ブロードバンド化等によってデジタルデバイドは解消してくるとともに、「考える力」の有無による新たな二極化の時代がやってきた。本書ではこれを「ジアタマデバイド」と呼ぶ。

検索エンジンの飛躍的発達による情報の氾濫や消費者参加型の時代の到来によって、「素人」

図1-7　インターネット革命の二極化の公式

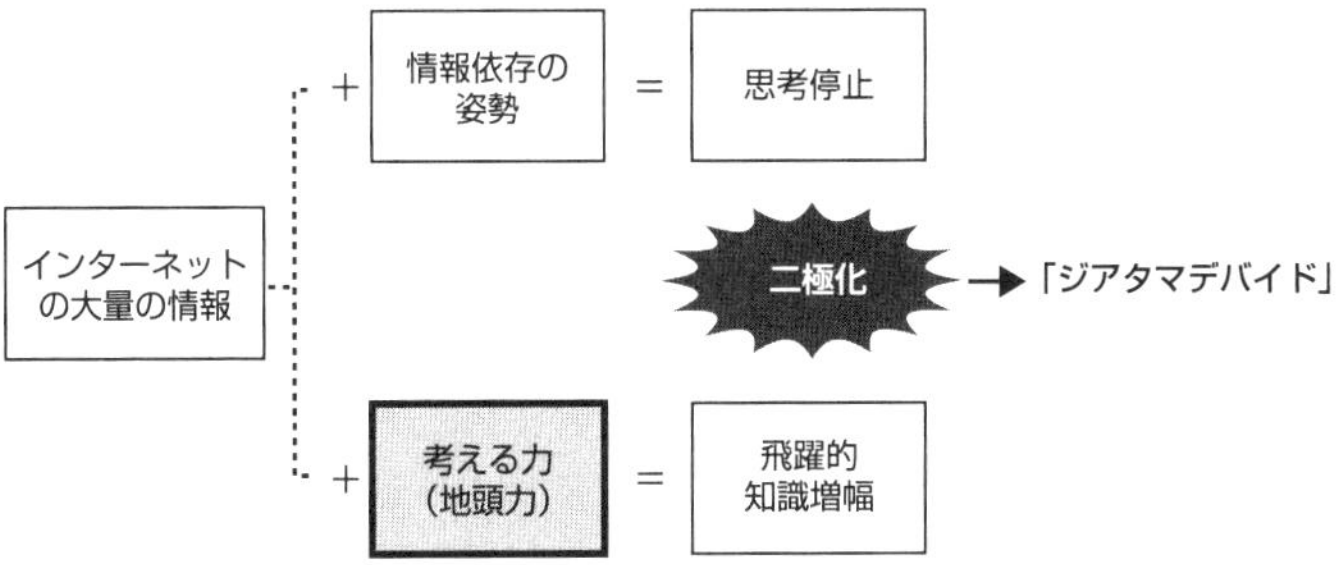

の活躍の場が圧倒的に増えてきた。ただしあくまでも、「自分の頭を使って考えることのできる素人であれば」という条件付きである。考える力を発揮すれば膨大な情報・知識を活用して指数関数的に増幅させ、従来型の専門家を圧倒的に凌駕することがあっという間にできる時代になった一方で、「コピペ族」と化して思考停止してしまえば、何も考えなくてもよい時代にもなりつつある。この二極化を示したのが図1－7である。

地頭型多能人（バーサタイリスト）の時代へ

本章のまとめとして、「ジアタマデバイド」の時代に地頭力を最大限に活用できる今後のあるべきビジネスパーソンの姿を、三つの知的能力の観点から提起しておこう。

インターネットを中心としたＩＴによって世界が劇的に変化し、「フラット」な構造になるという内容の

図1-8　“versatile”の意味

（小学館プログレッシブ『英和中辞典』より）

Versatile:

*ver・sa・tile [vəːrsətl/-tàil]

[形]

1〈人・性格・才能が〉なんにでも向く，多芸多才の；融通のきく

・a versatile artist

多才な芸術家

・a versatile talent

多芸多才

著書『フラット化する世界』（日本経済新聞社）の中でトーマス・フリードマンはこの時代に必要な人間のタイプとして「バーサタイリスト」（なんでも屋）という言葉を挙げている。この「バーサタイリスト」というのは米国のＩＴ調査・コンサルティング会社であるガートナーが二〇〇五年に初めて定義した造語で、一言でいえば、適応力があってどんな分野でも実績を上げることができる人のことである。この言葉の語源となったversatileという言葉（形容詞）を辞書で引いてみると、図1−8のようになっている。

　ではこれらの意味も踏まえて「適応力が高い」とはどういう意味なのか？　これは（陳腐化の速い）知識力ではなく考える力、すなわち「地頭力」で勝負するということではないだろうか。

　これまで述べてきたように、地頭力の高い人は専門分野であるとないとにかかわらずに収集した情報、既存の知識や過去の経験をもとにして「自らの考える

図1-9　レガシー会社人と地頭型多能人

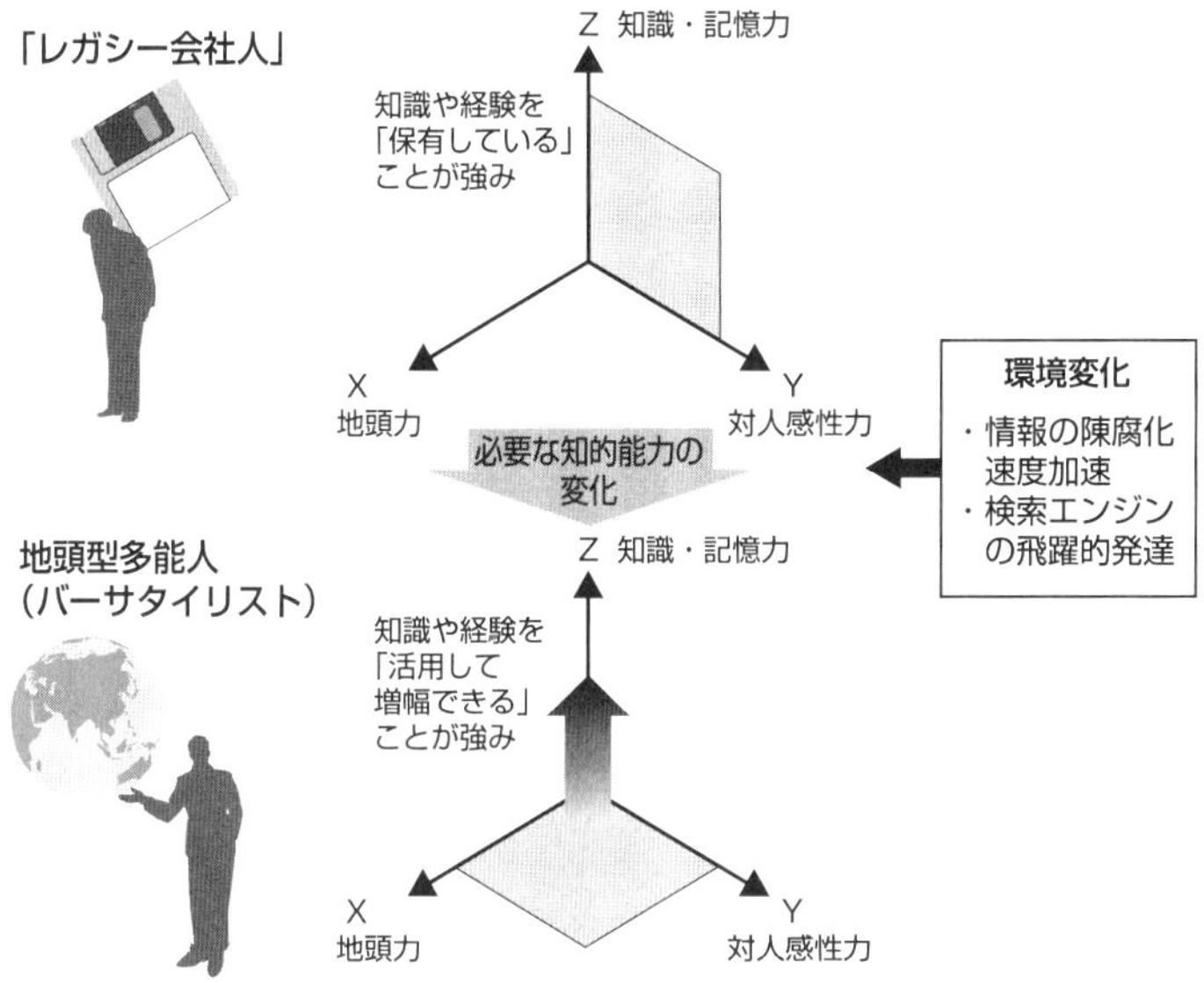

力」で常に環境に適応しながら次々と新しい知識を生み出していくことができる。この能力があるがゆえに、地頭力の高い人は「多芸多才」なのだ。まさにこれからの時代に適した人材に必要な最大の知的能力が地頭力であるということがおわかりいただけるであろう。

本書ではこうした能力を持つ人を「地頭型多能人」と定義する。「ジアタマデバイド」の時代を生き残り、インターネットの膨大な情報を最大限に活用して社会に大きなインパクトを与えるのはこうしたタイプの人間になっていくだろう。

これを従来日本の社会で必要とされてきた人材との比較で論じてみ

よう。図1–9を見てほしい。これまでの日本のビジネスに必要だったのは、「YZ型」の人間であった。

同図の上段に示したのが、従来必要とされてきた「レガシー会社人」である。主に重要であったのは、Y軸（対人感性軸）とZ軸（知識・記憶力軸）であり、知識や経験そのもの（例えば規制に守られた業界の特殊な知識や過去の成功経験、あるいは欧米や先進他社からのベストプラクティス等）であった。知識や経験を有することが他者（社）との差別化要因であり、一度専門家になればこれで「何（十）年も食べていけた」時代のことである。

そこでのスキルセットのタイプは例えば特定の専門分野に詳しい「スペシャリスト」、組織内の各部門を数年おきに渡り歩いて広範な知識を習得した「ゼネラリスト」、あるいは一つの柱となる専門性を持ちながら全体も広く浅く学んだ「T字型人間」、一つの専門性を深掘りしている間に周辺分野の知識も広げていった「V字型人間」等であった（図1–10）。ここで特徴的なのは、タイプは異なるものの、これらはすべて「Z軸」の特性のことを語っていたのである。

時代は変わり、知識の陳腐化が激しくなるとともに、グローバル化が進展してこれまで規制により守られてきた業界にも波及することによって特殊な業界知識も相対的にその地位を低下させてきた。

ここで必要となるのは、特定の知識に依存することなく、膨大なインターネットの情報を最適に活用して「自分の頭で考え抜いて」新しい知識を生み出せる力、つまり地頭力を持った「地頭

図1-10　地頭力と「軸の転換」

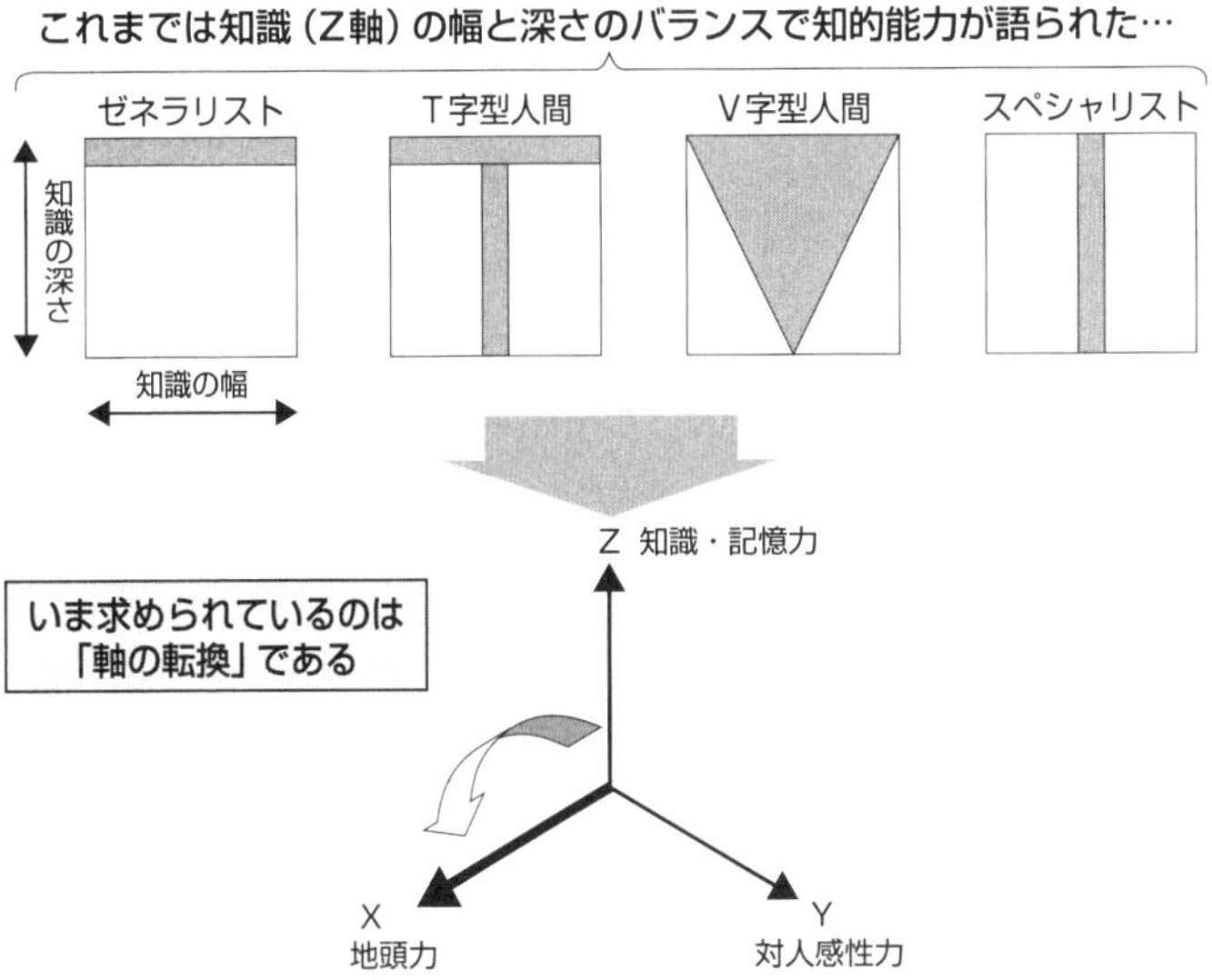

型多能人」（バーサタイリスト）なのである。必要なスキルセットは知識の幅と深さの議論ではなく、「軸の転換」が重要になってきたのだ。（図1−10の下）もはや知識力そのものは「目的」ではなく、次の新しい知識を生み出すための「手段」としての意味合いの方が大きくなったのである。

次章以降では本章で定義した地頭力を鍛える方法や地頭力の構成要素となる思考力についての詳細な説明を展開していく。

第1章のまとめ

1. 人間の知的能力には三つある。知識・記憶力、対人感性力、そして地頭力である。
2. 地頭力とは「考える力」の基礎となるものであり、三つの思考力（仮説思考力、フレームワーク思考力、抽象化思考力）とベースとなる三つの力（論理思考力、直観力、知的好奇心）から構成される。
3. 仮説思考力とは「結論から」考える力、フレームワーク思考力とは「全体から」考える力、抽象化思考力とは「単純に」考える力である。
4. 地頭力を鍛えるとものごとを「圧倒的に」効率よく進めることができるようになる。
5. 地頭力とは考えるプロセスと習慣であり、訓練によって鍛えることができる。
6. インターネットの膨大な情報に溺れる人と大量な情報を考える力でさらに増幅させる人との二極化（ジアタマデバイド）が起きる。
7. ジアタマデバイドの時代に必要なのは、知識力そのものよりも新しい知識を次々と生み出せる地頭力を持った地頭型多能人（バーサタイリスト）である。

第2章

「フェルミ推定」とは何か

フェルミ推定＝地頭力を鍛えるツール

前章で「考える力」としての地頭力について、その定義や重要性、構成要素について説明した。本章ではその地頭力を鍛えるための強力なツールとして「フェルミ推定」を紹介する。コンサルティング会社の面接試験で出題されることで一部の関係者ではよく知られたものであったが、これが「フェルミ推定」と呼ばれることや、その由来についてはコンサルタントの間でもあまり知られていなかった。ここではその定義、背景、有用性等について説明する。

東京都内に信号機は何基あるか？

「東京都内に信号機は何基あるか？」「世界中にサッカーボールはいくつあるか？」といった、把握することが難しく、ある意味荒唐無稽とも思える数量について何らかの推定ロジックによって短時間で概数を求める方法をフェルミ推定という。

「原子力の父」として知られるノーベル賞物理学者エンリコ・フェルミ（一九〇一—一九五四）が、自身こうした物理量の推定に長けていたとともに教鞭を取ったシカゴ大学の講義で学生にこのような課題を与えたことから、彼の名前を取ってフェルミ推定と呼ばれる。

エンリコ・フェルミは一九〇一年にローマで生まれ、二十代半ばにしてローマ大学の理論物理学の教授に就任した。一九三八年に中性子の研究に関する業績でノーベル物理学賞を受賞し、その授賞式後に戦時下のイタリアからアメリカに亡命した。その後シカゴ大学で教鞭を取るとともに一九四二年に世界で初めての原子炉の開発に成功し、最後はアメリカで没した。死の床でも点滴の落ちる間隔を測定して流速を計算していたという逸話が残っている。物理学者としてのフェルミの業績からその名を冠したものに原子番号100番の元素「フェルミウム」や「フェルミオン」(電子、陽子、中性子等の粒子の総称)があり、また10のマイナス15乗メートルは1フェルミ(1f)という単位になっている(ちなみにこの長さは日本のノーベル賞物理学者湯川秀樹博士の名前を冠して1ユカワ(1Y)とも呼ばれる)。

フェルミは理論と実験との両方に優れた業績で二十世紀を代表する天才物理学者として名を残すとともに、教育者としても優れ、後に彼の弟子の中から多くのノーベル賞受賞者が出た。フェルミ自身がシカゴ大学の学生に出したことで知られるのが「シカゴにピアノ調律師は何人いるか?」という質問で、フェルミ推定の「古典」として有名である。フェルミ推定に関連して、フェルミ自身についてのいくつかのエピソードがある。その代表が米国移住後に参画したマンハッタン計画におけるもので、世界最初の核実験が行われた一九四五年七月、ニューメキシコ州アラモゴードの砂漠の中のベースキャンプにいたフェルミは、あらかじめ用意していたノートをちぎった紙片を、爆発を感じると同時に部屋に自由落下させて、爆発の衝撃波で飛ばされたその紙の挙動から、実験に用いられた核爆弾の爆発力の規模を推定して、後に実際の規模との比較における正確さから彼の概略計算能力が同僚を驚かせたというものである。

フェルミパラドックス

もう一つフェルミの名前がついたエピソードとして有名なのが「フェルミパラドックス」である。これは地球外文明（生物）の存在の有無についてのもので、

・宇宙の広さや星の数、歴史の長さを考えて地球外文明（Extra Terrestrial Civilization：以下ETC）が存在しない方が不自然である

・しかし地球上ではこれまでにETCは正式には目撃されていない

というパラドックスである。

フェルミはお遊びで同僚たちにこの話題をしばしば持ちかけて、「みんなどこにいるんだろうね？」という質問をしたという逸話が残っており、このパラドックスは「フェルミパラドックス」と呼ばれる。このETCの存在確率に関しては典型的なフェルミ推定が応用可能な課題である。

ちなみにその一例として「フェルミ推定」を用いて天文学者のドレイクが導き出した以下の計算式は「ドレイクの公式」と呼ばれてよく知られている。

ドレイクの公式：　N＝R×fp×ne×fl×fi×fc×L

N：銀河系にある通信するETCの数

R：銀河系で1年に星が生まれる率
fp：惑星を持つ恒星の割合
ne：惑星を伴う恒星のうち、生命が維持できる環境を持つ惑星の数
fl：生命が維持できる惑星のうち、実際に生命が育つ割合
fi：その惑星のうち、生命が知的能力を発達させる割合
fc：そのうち、恒星間通信ができる文化が発達する割合
L：そのような文化が通信を行う期間の長さ

フェルミパラドックスに関しては、スティーヴン・ウェッブによる著書『広い宇宙に地球人しか見当たらない50の理由』（青土社）に詳しく、おそらく「フェルミ推定」という言葉が日本で初めて公式な場に登場したのは二〇〇四年に出版されたこの本の翻訳版においてである。

「オーダー・オブ・マグニチュード」であたりをつける

これらの逸話に代表されるように、フェルミは物理の予備計算に相当するような桁数を推定する能力に非常に長けていたようである。

フェルミ推定は別名「バック・オブ・エンベロープ」（Back of Envelope：封筒の裏）の計算とも呼ばれる。ちょっとした身近な概数計算をまさに身近にある「封筒の裏で」簡単に算出して

みるといったニュアンスで用いられている（日本人的に言うと「割りばしの袋の裏で」といった感覚だろうか）。ここでは正確な数値を予測するというよりはむしろ、本格的な数値の算出に先立っておおよその桁数（オーダー・オブ・マグニチュード）を算出することに重きが置かれている。

日常生活に近いところでの応用範囲としては、何らかの数値を概算するための「あたり」をつけるという場面が想定される。例えばビジネスであれば、新規事業における市場規模を算定する、あるいは情報システムやその他投資に関しての投資対効果の算出（投資側と効果側両方に適用できる）である。当然のことながら、限られた情報でこういったつかみどころのない数値を想定するのは誤差も大きい。しかしもともとつかみどころのない数値を扱う際に何のあたりもつけずに詳細の分析や実現性の検討等を始めるのと、はじめにある程度の数値の桁数のあたりをつけて行うのとでは分析作業の効率が格段に違ってくる。例えばコンピュータの性能が現在ほどでなく、利用できる環境としても限られた時代にあっては、割り当てられた時間を最大限に活用するためには、解の「あたり」をつけてから詳細の計算に入ることによって格段に計算を省力化できたのである。

どんな場面で使われているか

フェルミ推定が活用されている場面として有名なのが、コンサルティング会社や外資系企業での面接試験である。こうした会社には、応募者の「地頭のよさ」をテストしたいニーズがあり、そのための質問としてフェルミ推定が用いられてきた。コンサルティング会社を志望する就職活動中の学生の間では、「傾向と対策」的に模範解答を習得して面接試験に臨むことも行われており、実際にアメリカではこうした質問を集めた専用の対策本も出版されているが、その質問の裏にある問題解決手法の縮図としての本質はあまり理解されていないようである。

フェルミ推定のもう一つの側面として、欧米の学校では理科系の思考訓練の題材としてポピュラーなものとなっていて、いくつかの大学（や高校生以下向け）のウェブサイトに"Fermi Questions" あるいは"Fermi Problems" として様々な質問が掲載されている。これらを集めてフェルミ推定の「科学オリンピック」のような競技会も毎年行われている。学生に対しての理数系のセンスを養うのに適したツールとして認識されているようである。フェルミが大学の講義で使用したというのもまさにこの理由からであろう。

フェルミ推定が面接試験で用いられる三つの理由

フェルミ推定が面接試験等の場で用いられてきた理由は大きく三つある。第一に質問の内容が明快かつ身近なものであるためだ。第二は「正解がない」（あるいはあったとしても出題者自身も知らない）ことで、解答者には純粋に考える「プロセス」が問われるためである。同種の「地頭力」を問う質問として『ビル・ゲイツの面接試験』（ウィリアム・パウンドストーン著、青土社）にも取り上げられている有名なものに「マンホールのふたはなぜ丸い？」というのがあるが、これと比較すればフェルミ推定の特徴が明確になるであろう。正解のある質問では、解答者が単に正解を「知っていた」のか、その場で「考えた」のかを区別する方法はないが、解答のない質問であればより明確に解答者の「考える力」を試すことができる。最後の理由が、「簡潔でありながら問題解決の縮図である」ことである。すなわち後述する地頭力の各構成要素のすべてを駆使する必要があり、ここにフェルミ推定の真髄がある。先の『ビル・ゲイツの面接試験』で取り上げられている、マイクロソフトで用いられているという面接試験の質問集の中でもここまで簡潔かつ網羅的に考える力を試せる質問は他にない。これが面接試験の質問の定番としてフェルミ推定が長年生き残っている所以である。

次章では実際に読者にフェルミ推定を体験していただき、前章で定義した地頭力との関係について解説する。

第2章のまとめ

1. つかみどころのない物理量を短時間で概算することをフェルミ推定と呼ぶ。
2. フェルミ推定は物理学者のフェルミが得意であったことからこう命名された。
3. フェルミ推定は伝統的にコンサルティング会社の採用面接の場等で「地頭力」を試すための質問として用いられてきた。
4. フェルミ推定は問題解決の縮図であり、簡単に作成できて内容も身近であることから、地頭力を試したり鍛えたりするためのツールとして非常に有用なものである。

第3章

フェルミ推定でどうやって地頭力を鍛えるか

フェルミ推定の例題に挑戦

第1章、第2章で「地頭力」とは何か、「フェルミ推定」とは何か、そしてそれらがなぜ重要なのかについて解説した。続いて本章では、フェルミ推定というツールによっていかに地頭力を鍛えるかについて具体的に解説する。

まずは読者自身で以下のフェルミ推定の例題を考えてみてほしい（この後の説明の理解度を上げるために、必ずここで問題に挑戦し、答えを出してみてほしい）。

「日本全国に電柱は何本あるか？」

※解答に際してのルールは以下の三つ：

・制限時間：三分（厳守）

・電卓／PC等は使用不可（紙と筆記具のみ）

・一切の情報の参照不可

フェルミ推定例題の解法例

挑戦の結果はいかがだっただろうか？

以下に解法例を示すので、読者の解法と比較するとともに、65ページ（表3－1）にある地頭力チェックリストで自己採点してみてほしい。強調しておくが、この例題で試されるのは最終的に出てきた結果の正確性よりもどういう考え方で解答に至ったかの「プロセス」である。

突然このような質問をされて読者はどう考えただろうか。よほどの専門家でない限り、この解答を「知識」として知っている人はいないだろう。また出題者が真に期待しているのも現実の本数よりは最も正解に近づくための「算出ロジック」である。そうなると頼りにすべきは最低限の常識と純粋な「考える力」、すなわち地頭力だけである。

①アプローチ設定

どうすれば電柱の数が算出できるだろう。家の周りの電柱のことなら少し頭に描いてみれば推定できるかもしれないが、相手は日本全土である。大胆な仮定を置かざるを得ないだろう。ここでは「単位面積当たりの本数を市街地と郊外（山間部も含めた市街地以外すべて：以下同様）に分けて総本数を算出する」という切り口を考える（この他にも例えば「単位世帯当たりの本数で考える」というのも妥当な切り口である）。

②モデル分解

次に対象をモデル化して単純な要素に分解する。ここで考慮すべきポイントは住宅の密集する市街地と山間部を含む郊外では電柱の密度が大きく違うことである。各エリアの「単位面積当たりの本数」と各々の「総面積」がわかればそれらの積により総本数が算出できるであろう。ここがこの解法の肝の部分であり、いかにうまい切り口で分解し、推測可能かつ時間内で計算できる適当な粒度に因数分解するかがポイントである。

③計算実行

ここから数値の代入と計算に入っていくが、そのためには②で誰でもある程度の数字の推測が可能なところまで因数分解しておくところがポイントである。「単位面積当たりの本数」から考えてみる。市街地の代表的な電柱配置を「五〇m四方に一本」、郊外を「二〇〇m四方に一本」と二つの代表値にモデル化する（例えば現実には電柱が二〇〇mも間隔が開くことはありえないが、あくまでも面積当たりの密度を概算したいのでこう仮定する）。そうすれば一㎢当たりの本数は四〇〇本（市街地）、二五本（郊外）となる。次に必要なのは各々の総面積である。

これをさらに「因数分解」すると、（日本の総面積）×（各々の占有率）となる。まず日本の総面積、これは小学校の社会科で約三八万㎢と習うのでこれを覚えていればそのまま使えばよいのであるが、もし忘れている場合には知っている数値からさらに「フェルミ推定」すればよい。

図3-1　例題の解法プロセス

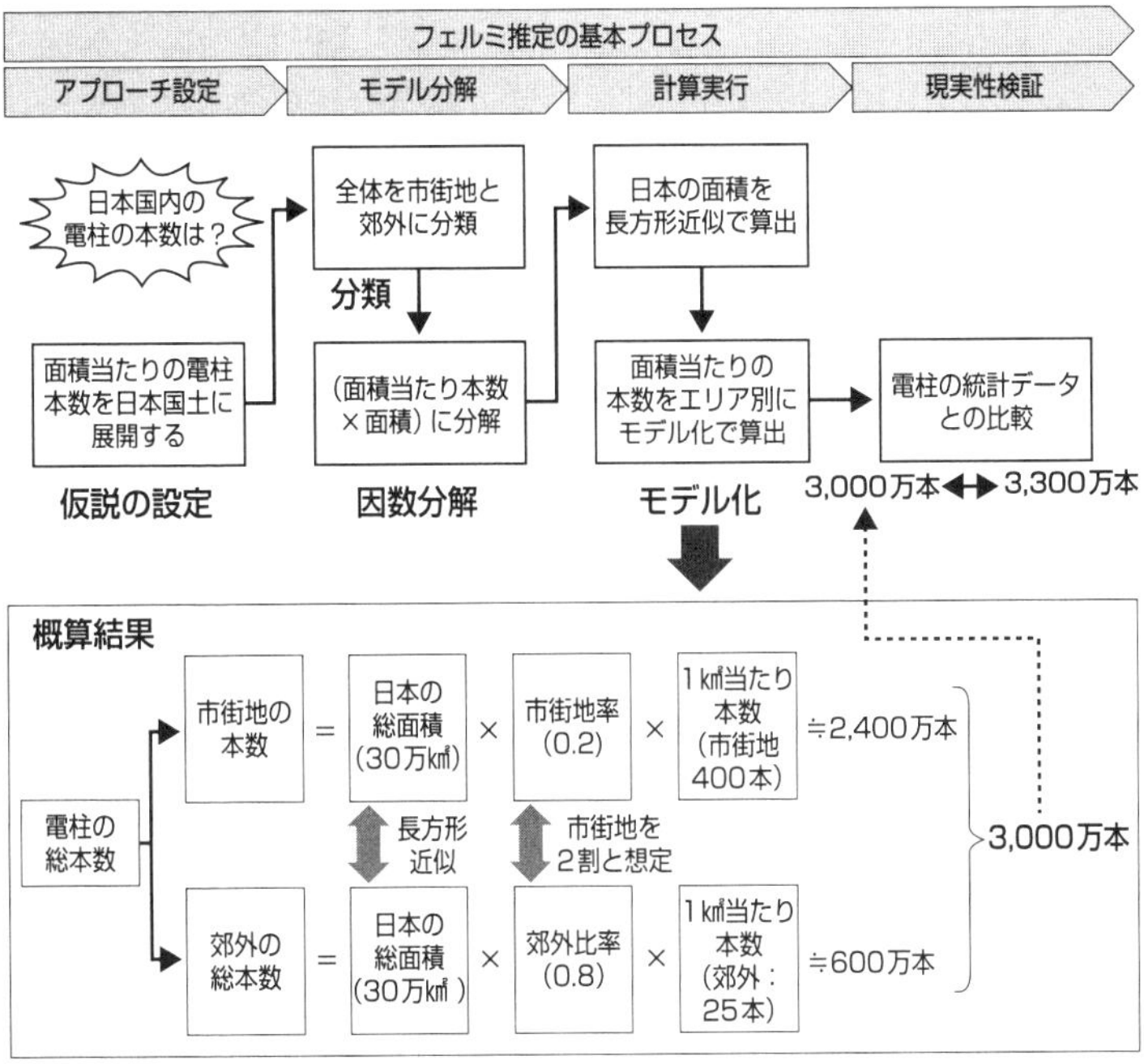

例えば東京—博多間の距離が約一〇〇〇㎞であることを知っていたとしよう（わからなければさらに新幹線の速度と所要時間等からもう一度フェルミ推定する）。この場合に日本地図を思い浮かべて日本全土を同面積の長方形で近似した場合にどのぐらいになるかを想定し、大体一五〇〇㎞×二〇〇㎞になったとすれば総面積は三〇万㎢と近似できる（この他にもモデル化による近似の仕方はいろいろと考えられるであろう）。

さらに市街地と郊外の面

積比について、ここでは二割程度が市街地と想定（一般に「日本の国土の四分の三が山間部」と言われている）する。これらの数値をもとに総本数を計算すると、図3－1の計算式より計三〇〇〇万本と算出できる（②③のプロセスはセットとなった連続的なもので、③の計算実行の中にも②のモデル分解的な要素がでてくるが、ここでは計算の便宜上のモデル化は③に含めるものとする）。

④現実性検証

③でひとまず結果が出るが、現実のデータが（部分的にでも）入手可能な場合には①②③で計算した概算結果がどの程度現実に近いものかのチェックができる。いわばフェルミ推定における仮説検証である。実は電柱の本数は電力会社とNTTから数字が公開されている（図3－2）。これによると合計本数は約三三〇〇万本であり、例題のフェルミ推定による算出結果がかなり「いい線」だったことがわかる（実際の電柱を街中で観察してみると、密集地では約二〇mおきに配置されているところもあるが、市街地をおしなべて五〇mの格子としたのは結果としては妥当であったようである）。なお、この問題を筆者の身の回りのコンサルタント約二〇名に実施した結果は（算出方法は様々であったが）大体五〇〇万本～五〇〇〇万本の間に収まっていた。あくまでもフェルミ推定で重要なのは算出プロセスであることは前述のとおりだが、目安として本問に関しては「真実」の数値と一桁以内の誤差に収まれば「合格」としておこう。

図3-2　電柱に関する統計データ

いわゆる「電柱」は
①各電力会社の所有する配電用
②NTT東日本・西日本の所有する電気通信用
の２種類でほぼ全体がカバーされると考えられる。
①については『電気事業便覧』（電気事業連合会統計委員会編）に各電力会社別の「配電設備の支持物数」が、②についてはNTT東西のウェブページ上の「電気通信設備状況」の「電柱」として以下の記載がある。

（平成17年度データ）

	北海道	東北	東京	中部	北陸	関西	中国	四国	九州	沖縄	小計
電力用（電力会社）	144.9	296.9	566.2	269.7	58.2	264.3	158.3	82.7	229.9	20.2	2,091.3

	東日本	西日本	小計
通信用（NTT東西）	569	618	1,187

単位：万本　総計 3,278

約3,300万本

この解法を読まれて読者はどう思っただろうか。おそらくはじめに問題を聞いたときには「途方もなく見当もつかない問題だ」と思ったに違いない（一体数万本なのか、数億本なのか……）が、少しずつ問題を冷静に「解きほぐして」いけば、常識的な知識の範囲で一桁の誤差の精度にまでは三分もあれば算出が可能なのである。解法例では微分積分を使ったわけでもなければ専門家しか知らないような知識を使ったわけでもない。極論すれば小学生でも「考える」ことさえ怠らなければたどり着ける解答なのである。

解答例の締めくくりとして、シャーロック・ホームズの相棒ワトソンの言葉を引用しておこう。

「推論の根拠を聞くと、いつでもばかばかし

図3-3　フェルミ推定プロセスと地頭力との関連

			フェルミ推定の基本プロセス			
			アプローチ設定	モデル分解	計算実行	現実性検証
地頭力	3つの基本思考力	仮説思考力	◎（仮説設定）	○（前提条件設定）		○（仮説検証）
地頭力	3つの基本思考力	フレームワーク思考力	◎（全体俯瞰・切断）	◎（分類・因数分解）		○（ボトルネック思考）
地頭力	3つの基本思考力	抽象化思考力	○（全体の単純把握）	◎（モデル化・単純化）		
地頭力	ベース	知的好奇心 論理・直観力	○（全ての思考力に共通で基本）			
常識		常識的知識	○		◎	○

◎：特に重要
○：重要

いほど簡単なので、僕にだってできそうな気がするよ。それでいて実際は、説明を聞くまでは、何が何だかわからないのだから情けない。眼だって君より悪くなんかないつもりなんだがねえ」

（『ボヘミアの醜聞』の冒頭部分で、久々に再会したホームズに自分の近況をぴったりと推理されたことに対して）

フェルミ推定と地頭力との関連

「地頭力」を構成する三つの思考力

一連のフェルミ推定のプロセスを紹介したが、前述した「地頭力」の各構成要素がこのプロセスの中で具体的にどう必要とされ、フェルミ推定によってどう鍛えられるのかを見てみよう。図3―3に示すとおり、フェルミ推定のプロセスは簡潔ながら問題解決の縮図であり、地頭力を駆使する場面が随所にちりばめられている。各要素を個別に解説して行こう。

「結論から考える」仮説思考力

仮説思考とは、①いまある情報だけで最も可能性の高い結論（仮説）を想定し、②常にそれを最終目的地として強く意識して、③情報の精度を上げながら検証を繰り返して仮説を修正しつつ最終結論に至る思考パターンのことである。

ではフェルミ推定でいかに仮説思考を鍛えるか？ ポイントは、①どんなに少ない情報からでも仮説を構築する姿勢、②前提条件を設定して先に進む力、③時間を決めてとにかく結論を出す力の三点である。

まず①に関して、曖昧模糊とした対象物に対して「情報が少ないなりに結果を算出する」と強く意識することが重要であり、ここで「情報が少ないから算出は難しい」と考えたらその瞬間にゲームオーバーである。例題でいうと「アプローチ設定」のプロセスにこの能力が必要になる。おそらく読者はこの電柱の例題を解いていく中で日本の総面積や世帯数といった情報が必要だと思ったであろう。でも使える情報は「頭の中にあるもの」だけである。こんな場合に仮説思考では「とにかくいまある情報で仮説を立てる」ことが必要になる。追加情報を収集するにしても「この情報があれば結果が出るはず」という仮説ありきで情報収集を開始すべきである。この発想を持っていない人に仮説思考の概念を説明し、体感し、納得してもらうのは実は非常に難しいのだが、これを具体的なイメージとして伝えるための手法としては筆者の経験からフェルミ推定が最も有効である。

次のキーワードは「前提条件の設定」である。使える情報が限られた場面では「先に進むために前提条件を決める」能力が必要になってくる。読者は解答に際して「電柱の定義はどこまでか？」等といった問題の定義に関する疑問にぶつかったに違いないが、ここであれこれ悩みだしたらあっという間に時間切れである（例えば対話式の面接試験においては適切な質問をしながら前提条件を決めていくのも正しい考え方であるが、ここでのゲームのルールは制限時間内かつ与えられた条件だけで答えを出すことであるから何らかの前提条件を置いて前に進むのが正しい姿勢である）。

第三に習得すべき概念は、時間を区切って何が何でも答えを出す「タイムボックス」の考え方である。仮説思考では「スピード重視」である。

「全体から考える」フレームワーク思考力

フレームワーク思考は大きく「対象とする課題の全体像を高所から俯瞰する全体俯瞰力（ビッグピクチャーシンキング）」と、「とらえた全体像を最適の切り口で切断し、断面をさらに分解する分解力」とで構成される（図3-4）。さらにこの「分解力」は大きく「分類」（足し算の分解

図3-4　フレームワーク思考力の概念図

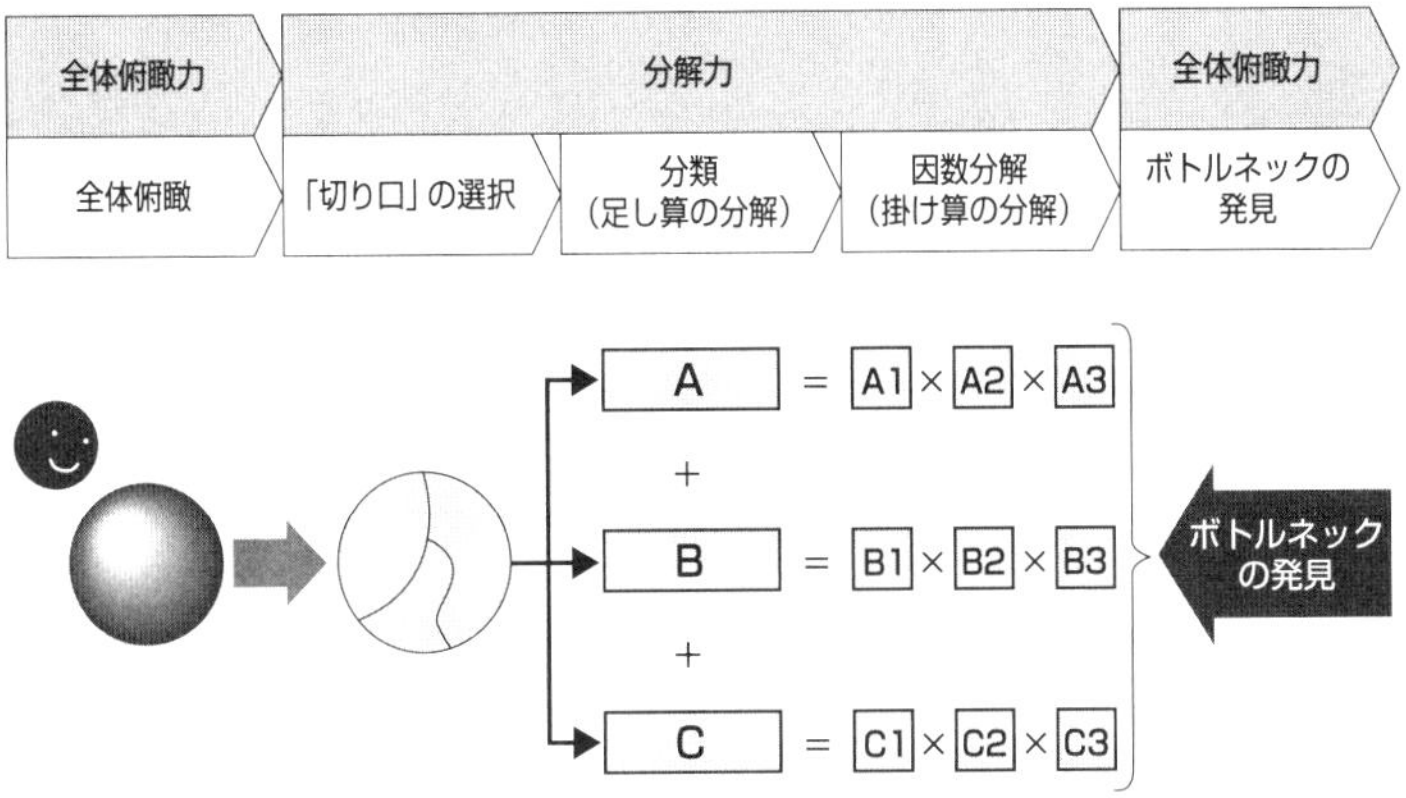

‥狭義のフレームワーク）と「因数分解」（掛け算の分解）とに分けられる。フレームワークというと経営分析に出てくる3Cやマーケティングの4Pといったものを思い浮かべる読者が多いかと思うが、それらはフレームワーク思考の観点からはあくまでも「ツール」であり、ここでは「フレームワークを活用してものごとを考える」という広義でとらえておく。

　ではフレームワーク思考力はフェルミ推定でどう鍛えることができるのか。フェルミ推定のプロセスの「アプローチ設定」から「モデル分解」に至るまでのプロセスはフレームワーク思考そのものである。ここでのポイントは大きく五点あり、①全体→部分への視点移動、②切断の「切り口」の選択、③分類（足し算の分解）、④因数分解（掛け算の分解）、⑤ボトルネック思考である。これらは、図3－4のプロセスとほぼ一対一に対応する。

まず①視点移動に関して、全体俯瞰ができるようになると、はじめに全体像をとらえた後で部分像へ「ズームイン」の視点移動で考えるが、「視点の低い」人はまず身の回りのこと、あるいは「とっつきやすい」ところから入って全体に広げていく「ズームアウト」的な視点の移動をとる。例えば電柱の問題について、全体俯瞰力のある人はまず全国にある電柱を市街地／郊外で見るといった全体の把握から始めるが、これが苦手な人はいきなり自分の近所、あるいは慣れ親しんだエリアのみから具体的な計算に取り掛かる。本来ははじめに自分の知っている地域は「全体の中で」どういう位置づけか（市街地か郊外か等）を決めてからこうした計算に入っていくのが全体俯瞰の視点である。

次が②「切断の切り口」の選択である。例えば電柱本数の算出にはいくつかの仮説が立てられ、地理的観点のアプローチ（面積当たりの本数、あるサイズの格子当たりの本数）と、電力・通信機能供給観点のアプローチ（世帯当たりの電柱本数）といった切り口が考えられる。これらの切り口のオプションを複数出し、その後利用できる情報の確からしさや切り口の妥当性によって最適なものを選択していく「オプション思考」の考え方が必要である。

続いて③分類（足し算の分解）について、全体をもれなくダブりなく適切なセグメントに分けることが求められる。狭義の「フレームワーク発想」ともいえ、これを効率的に行うためのツールが3Cや4P等のフレームワークである。

図3-5　抽象化思考力のプロセス図

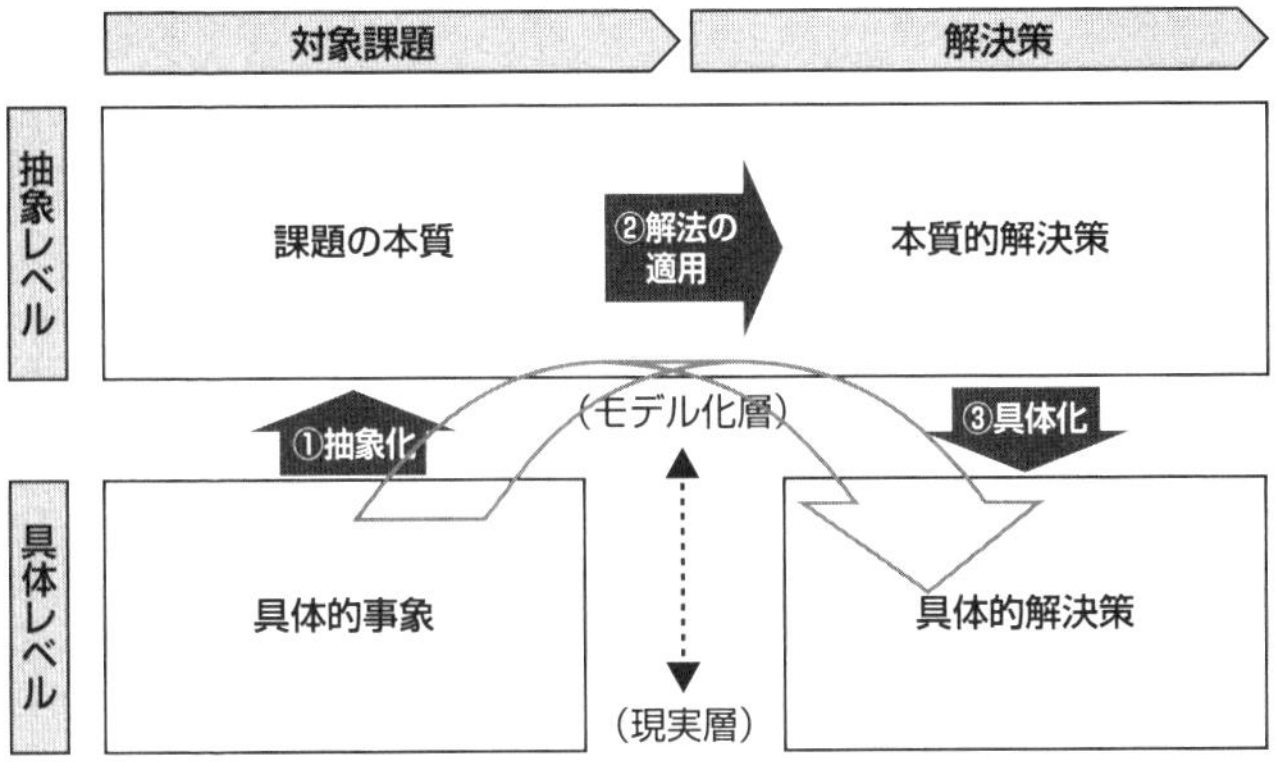

次に各セグメントを④因数分解（掛け算の分解）する。ここでは電柱の例のように、複雑な全体像をいかに取り扱いやすいサブ要素に展開できるかという力が必要とされる。

最後が⑤ボトルネック思考である。④の因数分解ではボトルネックとなる因数の精度に全体の精度が制約されることを考えれば、例えばこの事例である要素だけ詳細に計算できるからといって、有効数字を三桁以上算出することに意味のないことは明白であろう。計算しやすいところだけ詳細に計算しても意味はないのである。

「単純に考える」抽象化思考力

抽象化思考力とは①対象の最大の特徴を抽出して「単純化」「モデル化」した後に②抽象レベルで一般解を導き出して、③それを再び具

図3-6　例題におけるモデル化イメージ図

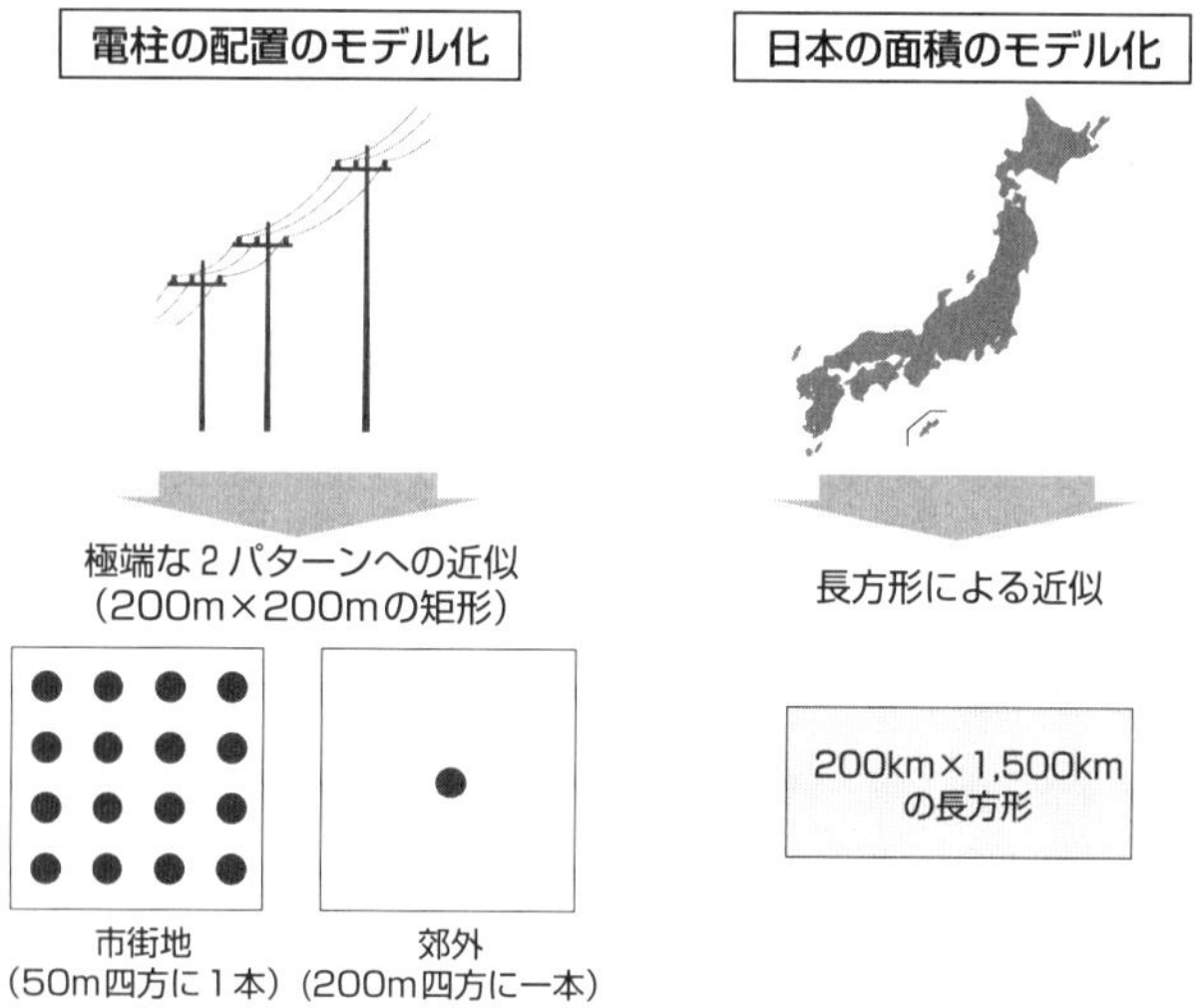

体化して個別解を導くという三ステップによる思考パターンのことである（図3－5）。

ではフェルミ推定をどうやって活用し、抽象化思考力を鍛えるか？　キーワードは三つで、①モデル化、②枝葉の切り捨て、③アナロジー（類推：ある事象を類似のものから説明すること）である。

そもそもフェルミ推定自身が「一見つかみどころがない事象を単純化して計算を容易にし、概数を算出する」という抽象化思考そのものである。例えば電柱の問題では、図3－6のように日本列島や電柱配置をモデル化、単純化して考える発想が必要となる。また同じ特徴を有する既存の知識やロジックを適用できないかという「アナロジー」を活用する発想もこの抽象化思考の応用である（例えば、たまたま今朝の新聞で目にした全国の郵便ポスト数との比較で推定できないか……とか）。

次に「いかに枝葉を切り捨てられるか」という発想も重要である。

抽象化思考を苦手とする解答者の典型的な反応として、いろいろなパターンを考えすぎて時間切れになってしまう状況が挙げられる。電柱の事例で言えば電柱の用途や世帯の種類等を分類しすぎてしまうことである。当然最後の精度を上げるためであれば属性ごとにセグメントを分類して考えることは重要であるが、算出していること自体が相当な概算であるので、一部だけを詳細化したところで最終結果は一番不確かな情報量のところがボトルネックになりほとんど意味がないのは少し考えればわかるはずである。「情報が少なすぎる」と結論が出しにくいのは仮説思考力の項で述べたとおりだが、同様に「情報がありすぎる」のも結論を出すのに邪魔になるというフェルミ推定のジレンマである。面白いことに解答者の専門分野でフェルミ推定をすると、ああでもないこうでもないと瑣末な話になって一向に結論が出ない傾向にある。

地頭力のベース

実はフェルミ推定に一番求められるのは問題解決に対しての好奇心かもしれない。フェルミ推定の問いかけに対しての解答者の反応は大きく二とおりに分けられる。「目を輝かせて」乗ってくるタイプと何やら難しそうだと当惑して眉をひそめてしまう、あるいははじめからわかるわけがないとあきらめてしまうタイプである。筆者の経験上、実際にやってみると、この解答者の「目の輝き」(ファイティングポーズと言ってもよい)と地頭力はほぼ比例する傾向があるのは興味深い。

すぐに知識に頼ろうとする「Z軸(知識・記憶力)型」の人は途中で情報がわからないとすぐにギブアップ、あるいは「この情報があれば……」という言い訳が多く、わからない情報を次々と推定していく姿勢が見られない。またZ軸が勝る人の典型的な反応は、背後のロジックより結果としての「解」にこだわると同時に間違った解を出すことにとても臆病であるということである。このタイプの人が多いのは、我が国の教育が従来「知識の詰め込み」つまりZ軸型の人を養成することに主眼が置かれてきたことと無縁ではなかろう。

フェルミ推定の解答の根本には論理思考力がある。ここでは、誰に対しても合理的に話がつながっているということが算出ストーリーとして要求される。特に他人に対して自分の推定根拠を簡潔かつ論理的に説明してみるのがいい訓練になる。

最後に直観力に関してだが、フェルミ推定は必ずしも論理的に考えるだけでは解答の切り口等は見つけることはできず、ひらめきや直観という要素が必要になってくる。またある程度フェルミ推定の数をこなすことによって適切な仮説や切り口のオプションを考えるスピードが速くなってくるため、こうした簡単な訓練の繰り返しにより、実際にはより複雑なビジネスへの応用力を上げることも可能になる。

表3-1　地頭力のチェックリスト（例題を必ず制限時間内に解答の上確認のこと）

質問項目	A	B
1．問題を見たときの反応はどうでしたか？	「面白そうだからすぐやってみよう…」（積極的）	「なんだか難しそうだなあ…」（消極的）
2．解答の可否はどうでしたか？	制限時間内に解答できた	解答までたどり着かなかった
3．前提条件不足へはどう対処しましたか？	適当に前提を決めて先に進めた	前提条件がなくてあれこれ迷って立ち止まった
4．基礎データの不足にはどう対処しましたか？（例：日本の総面積）	「知ってる情報でやるしかない」とすぐに腹をくくった	「情報が少なすぎて厳しい…」と悩んで立ち止まった
5．「モデル分解」のオプションはいくつ考えましたか？	２つ以上考えて最適のやり方を選択した	はじめに頭に浮かんだもので算出した
6．課題着手の順序はどうしましたか？	まず全体を分類してから個別に対処した	まず計算しやすい部分を計算してから全体へ拡大した
7．「因数分解」の粒度はどうでしたか？（解答例では因数６個）	因数の数が10個未満	因数の数が10個以上
8．出した解答の有効数字は何桁でしたか？	２桁以下（「8.2百万本」とか…）	３桁以上（8,292,300本とか…）
9．解答し終わっての感想はいかがでしたか？	「このやり方以上のやり方があるだろうか？」（プロセスに執着）	「正解」に近いだろうか？（結果の数値に執着）
10．解答結果は何本でしたか？	300万本（3×10^6）以上3億本（3×10^8）未満	左記以外

採点方法：A：１点、B：０点…を各問合計（10点満点）
判定結果：８〜10点：地頭力A級、４〜７点：地頭力B級、０〜３点：地頭力C級

あなたの地頭力を判定する

ここまでの地頭力の説明のまとめとして、読者の現状の「地頭力」を表３－１のチェックリストで確認してみてほしい。Q1〜Q10までの質問に対する自分の反応が「A」、「B」のいずれだったかチェックしていただき、「A」を各１点、「B」を各０点として、合計点を出してもらおう。

判定結果は以下のとおりだ。

8〜10点：地頭力A級
4〜7点：地頭力B級

0〜3点：地頭力C級

これらの設問の各々の意図を解説しよう。

問1：問題を見たときの反応はどうでしたか？

これは知的好奇心、特に問題解決に対しての好奇心を試している。パズルを解くのが好きなタイプの人はほぼ間違いなくこの「電柱」の問題に高い興味を示して目を輝かせるはずである。一方で問題解決への意識の低い人はこの問題に対してすぐにあきらめるか、困惑することになるだろう。

問2：解答の可否はどうでしたか？

「タイムボックス」で答えを出せるかという仮説思考力を試している。締め切り時間から逆算してできることをはかりながら計算するという思考回路を持っていないと、「一生懸命計算しているうちにいつの間にかタイムアップ」という結果になったはずである。

途中でギブアップした、あるいははじめからファイティングポーズすらとらなかったというのは論外である。

問3：前提条件不足へはどう対処しましたか？

少ない前提条件をどうやって処理したかを試す設問である。どこまでを電柱というのか、電力用だけなのか、通信用も含めるのか等々細かいことを気にしだしたら三分間などすぐにたってしまう。あまり瑣末なことを気にせずに、「常識的に普通の人が電柱と思うのはこの辺りであろう」というのを早めに割り切ることが必要である。専門家であるほどひっかかるのがこの項目である。事情をよく知っていればいるほど「〇〇とはどこまでを言うのか」的な細かい定義を決めたがるのが人情であるが、実はその定義の違いは大勢にはほとんど影響しないことの方が多い（特に桁数レベルにはほとんど影響ない）。あるいは専門家であっても、一般人が考える〇〇とはどこまでか？　とか、△△が目的と仮定すれば……等という前提条件を設定してさっさと先に進むのが正しいアプローチである。

問4：基礎データの不足にはどう対処しましたか？

どんなに少ない情報でも仮説を設定できたか？　という仮説思考力を問う設問である。考える姿勢の強さ、裏を返せば情報への非依存度が問われている。まずこの問題そのものに対してギブアップしてしまわなかっただろうか？　突然日本全国の電柱の数はと聞かれて、インターネットという絶対の武器を取り上げられた「ネット検索中毒」の人は手も足も出なかったに違いない。あるいは、「せめて△△の情報があれば……」とあくまでも情報を頼りにする姿勢を崩さなかったのではないだろうか。

問5：「モデル分解」のオプションはいくつ考えましたか？

フレームワーク思考における「切り口の選択」の力を問う設問である。全体俯瞰（この場合には全国の電柱）をした後にどういう「切り口」で全体本数を算出するかという選択肢（オプション）を考える力が必要になる。例えばこの問題の場合、大きく電柱あるいは電線の用途から考える方法（各世帯数から世帯当たりの電柱本数を考える）と地理的な配置から考える方法（単位面積当たりの電柱本数を考える）が考えられ、地理的な配置の考え方でもエリアを一律で算出するとか、都会と山間部で分けるか等の基本的なアプローチがある。瞬時にこれを複数考えてどれが最終的に計算しやすく精度の高い結果が得られるかを判断する能力が必要になる。

問6：課題着手の順序はどうしましたか？

フレームワーク思考における「視点の高さ」を問う設問である。要は自分の身の回りから「ズームアウト」で考えたか、上空の視点から「ズームイン」で考えたかということである。視点の低い考え方をする人というのは、例えば家の近くの電柱の状況を頭に思い浮かべて算出してしまってからそれを日本全体に「外挿」していこうという発想をとる。つまり、算出すべきことから考えるのではなく、算出できることから考えるという自分中心の視点が抜けていないとこうした発想になってしまうのである。

問7：「因数分解」の粒度はどうでしたか？

枝葉末節にこだわっていないかという、「抽象化思考」の確認とともにボトルネックの考え方ができるかという「フレームワーク思考」を確認する設問である。「因数が一〇個」というのは一つの目安であるが、要は計算時間を考慮した場合に必要以上に細かく分けていないか？　それも全体のバランスを考慮した上で自分がわかる部分だけ詳細にブレークダウンしていないか？　といったことが問われる。例えば世帯当たりの電柱本数を算出するというアプローチを取った場合に、世帯数を計算するのに法人用建物と個人用建物、さらにそれを戸建てと集合住宅ぐらいに分けるのはよいが、集合住宅をマンション・アパート・寮とか、さらにそれを用途別に分けるといったことはやろうと思えばいくらでもできるが、最終結果へのインパクトを考えればあまり意味はないだろう。

問8：出した解答の有効数字は何桁でしたか？

フレームワーク思考で述べた「ボトルネック」の考え方ができるかどうかである。わかるところだけ詳細に計算した有効数字をそのまま使って必要以上に細かい計算結果になってはいなかっただろうか。解答例の中でも述べたように全体の精度を考慮すれば、有効数字三桁以上の答えにほとんど意味はないだろう。

問9：解答し終わっての感想はいかがでしたか？

考えることへの志向が強いか、情報や知識への志向が強いかを試す設問である。知識志向の強い人はこれが正解に近かったかどうか、非常識な結果でなかったかを非常に気にする（ネット検索中毒の人はおそらく検索エンジンを使いたくてうずうずしていることだろう）。これに対して考える志向の強い人というのは、自分のとった「アプローチ」に関してさらにいいものがなかったかというのを気にするのである。また考えるタイプの人は自動的に同じような問題をやってみようという意識が出てくるのが特徴である（同じように考えたら郵便ポストはどうやって計算すればよいだろうとか）。

問10：解答結果はいかがでしたか？

算出結果が「真実」の値にどれだけ近かったかを問う設問である。繰り返し述べたようにフェルミ推定の意図は真実に近い値を出すことが目的ではないが、当然最善のプロセスで推定したほうが結果が真実に近づくということは間違いないだろう。その意味での結果の正しさである。

第2章のフェルミ推定の解説で述べた「科学オリンピック」では正解のはっきりしている課題を与えてそれに対しての近さで採点するという形式をとっているものもあるが、ここではあくまでも精緻さは二の次ということで、全体における配点も単に一〇問のうちの一問という位置づけにとどめた。本問についての「正解」のレンジはかなり広めにとった。上限の「三億本」というのは少し行き過ぎ（国民一人当たり電柱二本以上というのは感覚的にはかなりはずれるかもしれない）という考え方もあるかもしれないが、あくまでも真実の値からプラス・マイナス一桁という基準で線引きをしてみた。

地頭力の判定結果について

さて、読者の判定結果はいかがだったであろうか？　もちろんこの結果は厳密な定義に基づいたものではないが、地頭力が高いというのは具体的にどういう思考パターンであるというイメージについてはご理解いただけたと思う。もし得点が低かった方については、この結果があなたの現状の「考え方の癖」であるので、これらを改善すべく自分の弱点を認識した上で地頭力を鍛えていただきたい。また、今回の問題をクリアされた方に関しても、実はこの例題を解くというのはいわば基本動作の習得だけ（単に「素振り」がきれいにできる）であって、実戦での応用が必要であることを肝に銘じた上で、本書を参考にして地頭力のより実戦レベルでの強化を図っていただきたい。

フェルミ推定の問題を単なる表面的なレベルで理解することで、こんなものかと安心してしまってそこで終わってしまっている人が多いのは非常に残念なことである。問題解決の縮図としてのフェルミ推定の真の効果が発揮されるのはこれからなのである。

そこで次章では、フェルミ推定の中で出てきた問題解決に関する「基本動作」を実際のビジネスに適用するのがいかに難しいか、あるいは日々の複雑な業務の中でいかに我々が基本を忘れてしまっているかをケーススタディでご覧いただくこととする。

第3章のまとめ

1.「日本全国に電柱は何本あるか？」という例題でフェルミ推定を体験していただいた。解答のポイントは結果の精緻性ではなく、解答に至るまでの思考プロセスである。

2.フェルミ推定の解答プロセスは問題解決一般のプロセスの縮図そのものであり、その中で第1章で定義した「地頭力」の構成要素である「三つの思考力」（「結論から」「全体から」「単純に」考える）を駆使する必要がある。

3.地頭力のチェックリストによって現状の自分の考え方の癖を知り、今後のトレーニングに生かしていく必要がある。

第4章

フェルミ推定をビジネスにどう応用するか

ケーススタディ「地頭課長と積上クンの会話」

フェルミ推定を単に例題を解いていくという範囲で考えればたいして難易度の高いものではない。問題はこの「精神」つまり考え方そのものをいかに複雑な日常に適用していくかということである。ほとんどの人はフェルミ推定で試されるような思考パターンを日々の身の回りのことには適用できていない。

前章で述べたフェルミ推定の例題によって、基本動作は理解できたかと思うが、これを実生活に適用した「応用動作」が実際のビジネスの現場で実践できるかというとまったく別問題であるということを仮想的企業の情報システム部門におけるケーススタディで経験していただこう。おそらく読者の周りでも日常的に起きていることではないかと思う。こうした日常的な事象に対して「地頭力」を発揮した対応はどうすべきか、そこにフェルミ推定で鍛えた基本動作をどう応用すべきかを体感していただこう。

【登場人物説明】

地頭（じあたま）課長：

三八歳。東証一部上場ヒノモト電子機器工業の情報システム部システム企画課長。データと事実を重視して論理的に結論を導く理論派。

積上（つみあげ）クン：

二五歳。入社三年目で情報システム部に配属の期待の若手。モチベーションが非常に高く、仕事熱心で周囲の人にも愛される性格であるが、「やる気」が空回りするあまり、時に独走して周囲を困惑させることもある。

【会話の背景】

ヒノモト電子機器工業では、ほぼ一〇年前に構築した情報システムを拡張の繰り返しで更新してきたが、システムの老朽化によって各所で弊害が目立ってきたために、旧システムを刷新することになった。それについて社長より情報システム部に対して、向こう三カ年のグローバルＩＴ刷新計画案を提示するよう指示があった。最終的なグランドデザインの策定期限は約半年後であるが、まずは経営会議で概略の投資対効果について経過報告をする必要がある。先週基本的な進め方について打ち合わせした地頭課長と積上クンだったが、約一週間たって、地頭課長からのフォローが入ったところである。

【ダイアログ】

地頭課長（以下「地頭」）：おーい、積上クン。この前相談した投資対効果の件だけど、進捗はどうだい？

積上クン（以下「積上」）：いまちょっとデータを整理しているので、あと二日ほど待ってもらえますか？

地頭：二日後に報告してもらうのはいいんだけど、いまの大体の状況を教えてもらえないかな？

積上：海外法人の実際のユーザー数がなかなかつかめないんです。去年はずいぶんと人の出入りがあったみたいで、特に南米の状況がなかなか担当者と連絡がつかなくて……。

地頭：積上クン、そのユーザー調査の話と今回の投資対効果の話はどう結びつくんだい??

積上：とにかくユーザー数は全体システムの投資や効果に影響するのでデータを集めてみようかと思っていたんですよ。

地頭：そういえば、先週現状システムの使用履歴か何かをアンケートで調べていたよね。あれはどうなったの？

積上：そうでした。あれはやってみたんですけど、やっぱり今回の結果とは関係なさそうなので、使うのはやめました。

地頭：詳細なデータを集める前にまずは全体のストーリーが重要なんじゃない？　来月の報告会でどんなキーメッセージを出すか、そのためにどんな説明が必要かといったことを考えてみたかい？

積上：でもいま何もわかっていないんですから、とりあえずデータを集めてみてからでないと経過報告で言おうとする結論の内容はわからないですよね。

地頭：先にある程度結論を想定してからデータを集めはじめた方が効率的じゃないのかな？　さっきみたいな「使われなくなるデータ」も少なくなると思うし。まずは経過報告の目次を考えてみたらどうだろう。

積上：でも課長、まだ作業を開始したばかりなんですよ。内容も決まってないのに目次なんてできるわけないじゃないですか。そもそも決まっていないことが多すぎるから投資対効果なんて……。

地頭：そろそろ日程を決めなきゃいけないんだけど、第一回の経過報告はいつにしようか？

積上：うーん。今の状況では何とも言えないですねえ。もう少し先が見えてくれば見通しが言えると思いますよ。

地頭：積上クン、「仮説で考える」ってこと勉強したことあるかい？

積上：「仮説」って言葉ぐらいは……。

地頭：じゃあ、「フェルミ推定」って聞いたことある？

積上：フェ、フェルミスイテイ⁇

地頭：聞いたことなかったかな？　そうだ、私のところにフェルミ推定についての研修の案内が来ていたよ。半日のコースだったから行ってみたらどうだい？　確かちょうど申し込みの締め切りが今日までだったから。

積上：わかりました。では申し込んでみます。

（一週間後）

積上：課長、「フェルミ推定」の研修行ってきました。

地頭：どうだった？

積上：「目から鱗が落ちた」っていうか、私のいままでの考え方そのものを変えなきゃいけないんだってことがわかりました。地頭課長が前におっしゃっていたことも「ああそういうことだったのか……」って半分ぐらいは理解できるようになってきました。

地頭：それは行ってよかったね。具体的にはどんな研修だったんだい？

積上：いきなり私が指名されて前に出されて、講師の人から「日本全国に電柱が何本あると思いますか？」なんておかしなことを聞かれたんですよ。

地頭：ハハハ、なるほど。それで君は何て答えたんだい？

積上：まずは頭が真っ白になって、「見当がつきません」って答えました。次にちょっと落ち着いてから、「後で休憩時間に五分時間を下さい。このビルの周りをちょっと見てきます。」って答えちゃいました……。いま振り返るとちょっと恥ずかしいですけど。

地頭：でも最終的に研修が終わったときには、どういう回答をすべきだったかってわかったんだね。

積上：ええ、そうです。そこで学んだ考え方を早速いろいろなことに応用するようにしています。その考え方っていうのが「結論から」「全体から」「単純に」っていう三つの視点だったんです。まだ頭でわかっていても体がついていかないところもあるので、今後さらに毎日の仕事で生かしていきたいと思います。

地頭：よし、じゃあその考え方でまずは来週の発表の準備にとりかかろう！

【ダイアログの考察】

読者はこの話を読んでどう思っただろうか。あなたの身の回りに積上クンはいるだろうか？　地頭課長はいるだろうか？　あるいはあなた自身そのどちらかだろうか？

ほとんどのビジネスパーソンは多かれ少なかれ部分的にでもこの会話のような経験をしたことがあるはずである。この会話の、特に前半部分の二人のやりとりにおける積上クンの言動のどこが問題なのかを整理してみよう。

ポイント1

「二日後でないと回答できない」

「あと二日待って下さい」上司から進捗を聞かれてこんなふうに答えたことはないだろうか？

（あるいは自分が上司の立場でこんな回答をもらったことはないだろうか？）「いまデータの整理中だから」とか「まだ何もわからないから」というのが想定される理由である。だが大抵こういう質問をする場合の上司の期待は、大体の方向性や課題を聞いた上で次の方向性を判断したいということなのである。二日後に（あくまでも回答者にとって）「精度の高い」報告を聞くのと、精度は低くても「いま」の状況を聞くのとでは、この上司にとってどちらが役に立つだろうか？

明らかに後者のはずである。なぜなら精度が高い低いというのはあくまで回答者側の論理であって、二日後に聞いた結果は当初の期待値からはかけ離れたもので二日間の作業はまったく無駄になるリスクをはらんでいる。こうした場合に求められる行動は、その場の情報量で最善の結論を答えるということである。例えば「三分間でクイックに回答する」ことに回答者にとってのリスクはないはずである。方向性が合っていればそれでよいし、もし違っている場合にはその時点で軌道修正がかけられるので、その後の二日間を無駄にせずにすませることができる。

ポイント2

「全体ストーリーがない」

積上クンはいきなりユーザー数を集め始めてしまっている。

これも複雑な分析を行う際には散見される状況である。

やっている本人はそのつもりではないのだが、説明を聞いているほうからすると、いまやっている詳細分析内容と最終結果、あるいは目的との関係が不明確になってしまうという状態である。分析にのめりこんでしまうと、最終目的を忘れて「分析のための分析」になり、周りの人にとって、あるいは時には自分自身でさえ何をしているのかわからなくなってしまうということがよくある。フェルミ推定でいうと、全体の算出式（ロジック）のために因数分解する前にとにかく頭に浮かんだ断片的な計算を開始してしまっている状態である。こうなると、この分析そのものが最終結論のためにはまったく役に立たなくなってしまうとともに、周りの人間に対して何をやっているのかさっぱりわからないという状況を作ってしまうのである。

ポイント３
「とりあえずデータを集め始めた」

何らかの分析や調査をする際に、普通の人が取る行動というのはまずは「とりあえず」データを集めてみることではないだろうか。まずは情報を集めてみてからその次のステップを考えようというのはごく自然の考え方に思われる。ただし、この場合でも何らかの仮説を持って集めることが効率性につながる。電柱の例で言えば、とにかく家の周りの電柱を数えはじめるのと、算出方法を仮に決めてから数えてみるのとでは、目的意識や最終結果の精度にも間違いなく大きな違いが出るはずである。とにかくデータを集め始める前に仮説を立てるということが重要なのである。

ポイント4

「『南米ユーザー』で時間をとられる」

全体ストーリーなしでデータを集めはじめた積上クンは、ユーザー数の調査を進めるうちに、南米ユーザーの状況がなかなかつかめなかったために、「深みにはまって」しまい、ここの調査に時間を費やすことになった。しかし考えてみてほしい。これだけの概算をやっている中で、南米ユーザーの数の精度が全体の答えの精度に影響するとはおよそ考えにくい。

つまりここで積上クンは「枝葉にこだわりすぎて」しまったのだ。

ポイント5

「集めたデータが使われない」

前記ポイント3のように、とにかくデータを集めるという姿勢の結果がこれである。無目的にデータを集めるということは、最終的にそのデータが無駄になる可能性は高い。あくまでもデータを集めたらそれを最終的にどうやって使っていき、それからどういうメッセージを引き出せればどういう結論になるかという仮説を考えた上で情報を集めていけば、最終結論に至るまでの作業を最大限に効率化することができる。読者の中には、「でも当初の仮説が適切なものでなければ、結局仮説を見直すことになってデータはまったく使う必要がなくなってしまうのではないか?」と思う方もいるかもしれないが、それはそのとおりである。ただし、闇雲かつ網羅的にデータを収集していくよりは、何度かの仮説修正を繰り返したとしても「あたり」がある程度ついている分、効率性に差が出てくることは納得してもらえるだろう。

ポイント6
「マイルストーンを考えていない」

積上クンは当面のデータ収集と分析作業にすっかり頭がとらえられていて、それをいつまでにどんなメッセージを誰に伝えればいいのかといったマイルストーンをまったく意識せずに日々の業務に没頭してしまっている。積上クンに言わせれば、「準備が十分にできてから」次のマイルストーンの詳細を設定するということになるのであろう。ところがこのアプローチでこのまま進める限り往々にして「準備が十分にできる日」など永久に訪れない。そのうちに社長からのフォローが来て、本人としては「準備不足」の状況でマイルストーンとなる報告日を迎えるのは間違いない。ここで必要なのは先に期限を設定してその中で最善の解答を出す（時間がさらに必要であればさらにこれを繰り返す）というタイムボックスの考え方である。

このイメージをつかむ訓練をするのにフェルミ推定が有効であることは前述のとおりである。

ポイント7
「目次は内容が決まってから」

読者は何かの報告書や企画書等の文書を作成するときに目次をいつ作成するだろうか。中身がある程度まとまってからだろうか？　仮説思考と全体像思考ができているかどうかが決定的に出るのがこれらのどちらの行動パターンを取るかである。「結論から」「全体から」考えている人というのは、必ずはじめに目次を作るという行動パターンを持っている。逆にこの思考パターンのない人に目次から考えるという発想を理解してもらうのは非常に大変である。なぜ中身が決まっていないのに、目次ができるのか？「第一章」のことしか考えていないのに、全体の目次を作ることが可能なのか？　これは地頭力を鍛える上での一つのブレークスルーである。これは思考回路をほぼ一八〇度転換させるのにも等しいほどのパラダイム変革であるからである。

ポイント8

「前提条件がなくて先に進めない」

積上クンは前提条件が決まってないが故に、「投資対効果」を出すのは無理だと言いかけて、地頭課長に話をさえぎられた。こうした「ぼんやりとした」検討をする際には、デジタルに前提条件が明確に決まっている状況はほとんどない。前提条件が決まっていないのであれば自分である程度想定しながら先に進んでいく姿勢が必要である。

図4-1　ケーススタディのポイント

	積上クンの課題の具体的な言動		フェルミ推定から学べること
結論から	・2日後でないと回答できない ・とりあえずデータを集めはじめた ・集めたデータが使われない ・マイルストーンを考えていない ・前提条件がなくて先に進めない	➡	・「タイムボックス」で期限内に答えを出す ・情報収集の前に仮説を立てる ・自分で前提条件を置いて先に進む
全体から	・全体ストーリーがない ・目次は内容が決まってから	➡	・まず全体の算出アプローチを決める ・因数分解して必要な項目を全て出す
単純に	・「南米ユーザ」で時間を取られる	➡	・「枝葉」を切り捨てる ・ボトルネックを考える

全体の整理

ここまでのポイントを整理しておこう。（図４―１）

地頭力のベースとなる思考力のついている地頭課長とこれからそれを鍛えなければならない積上クンの行動パターンやそのベースとなっている思考パターンは一八〇度異なっている。これは何も特殊な状況ではなく、読者の身の回りの日常のビジネスの現場でも日々起きている事態であり、この思考回路が共有されていない状況でコミュニケーションを行うというのは至難の業である。例えばもし仮に地頭課長が積上クンに「最初に目次を作る」ことに納得してもらったとしても、ただ目次を作っただけでは単なる表面上の解決策にしかならず、おそらく次に同様な場面に接した場合にまた目次を作らずにデータ収集・分析作業を始めることになるだろう。

このケーススタディは、フェルミ推定で試された三つの思考力の実際のビジネスへの応用編である。「結論から」「全体から」「単純に」考えている人（地頭課長）といない人（積上クン）との間でいかに会話がかみあわないかがおわかりいただけたであろう。筆者自身実際のビジネスの現場で何度となくこういった場面を自分自身、あるいは第三者の事象として経験してきた。そこでの教訓は、基本的な思考回路を共有しない限り、この二人がわかりあうことは絶対に不可能であり、議論すればするだけお互いにフラストレーションがたまっていくだけということである。なぜなら、第1章の図1−6（磁石とコンパスの図）に示したように、表面的な違いを議論したところで思考回路が天動説と地動説ほども違っていてはすべてが逆の発想になっており、根本的な解決には至らないからである。

こういった衝突や誤解を回避するためにも、思考回路のイメージをあわせるためのツールとして簡潔かつ強力な手段がフェルミ推定なのだ。

フェルミ推定が必要な六つのタイプの症状と処方箋

おそらくほとんどのビジネスパーソンは多かれ少なかれこの「積上クン」（あるいはその予備軍）の要素を持っており、フェルミ推定によって「地頭力」を鍛えるニーズはあらゆるところに

図4-2　フェルミ推定を学ぶべきタイプ

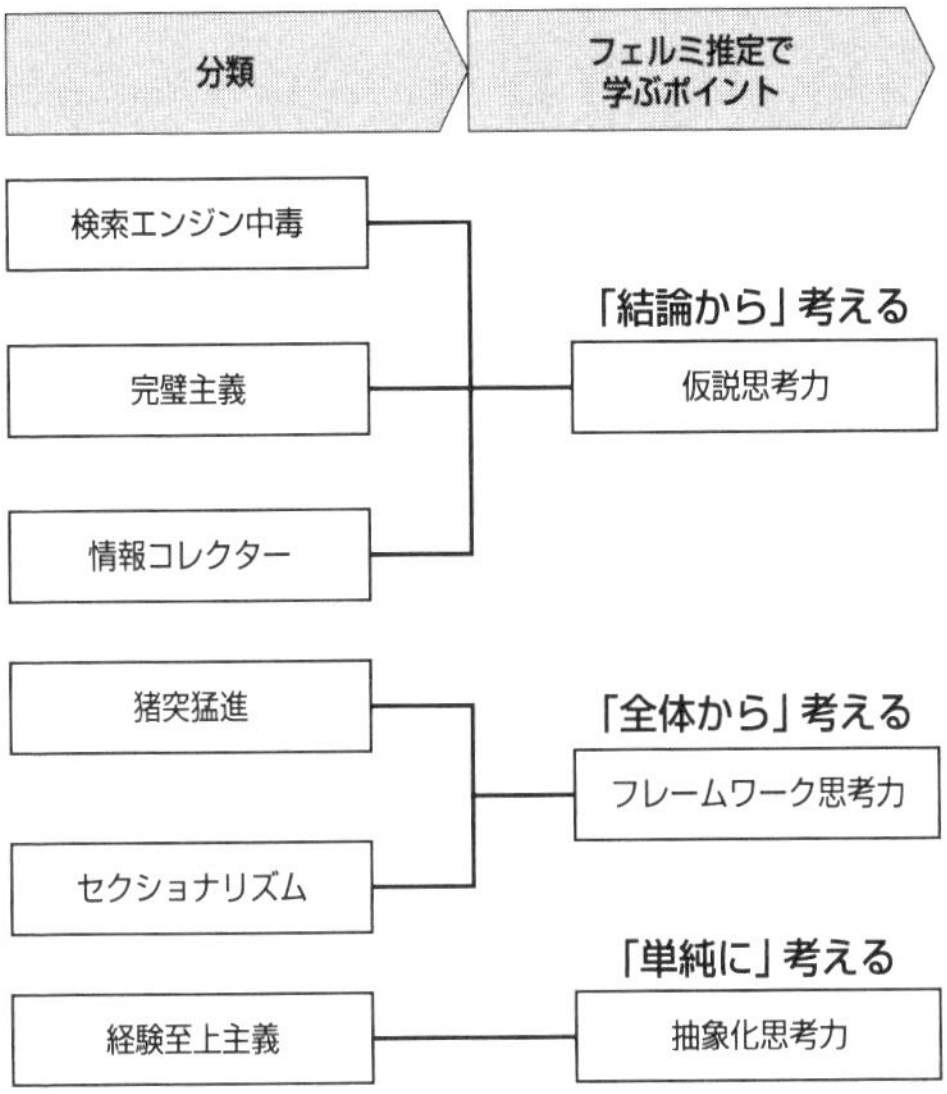

存在しているといってもよい。

積上クンタイプに限らず、図４－２に示すタイプの人にはフェルミ推定をおすすめしたい。

各タイプの症状と処方箋、およびフェルミ推定で何を学ぶべきかを具体的に解説していこう。

「検索エンジン中毒」――自分自身を羽交い絞めにする

インターネットの検索エンジンの普及によって指数関数的に増殖していると考えられる人種である。「コピペ族」というのもこの一種であろう。

具体的な症状としては、

・頭が働くより先に手が動いて検索

エンジンにキーワードを入力している
・検索結果を鵜呑みにして、そのまま答えとしている
・その結果として考える力が退化している
といったところである。
処方箋としては、
・とにかく自分の頭を使って考える癖をつけること。場合によっては、検索したがる自分自身をもう一人の自分で後ろから「羽交い絞めにして」でも仮説を立ててから情報収集や分析を行っていくという「自分の頭で考える」習慣づけが必要である。
フェルミ推定はある意味「自分自身を羽交い絞めにする」ための格好のツールである。少ない情報で結果を推定するという姿勢を身につけるための最高の訓練となるだろう。

「完璧主義」──「タイムボックス」の考え方の習得

どんな状況にあっても期限より品質を優先させる。効率は二の次で、正確かつ十分な根拠を持てるまでは決して結論を出さない。

具体的な症状としては、
・品質のために締め切りをよく遅らせる
・不十分な情報では作業に着手できない

・精度が低い結果を出すぐらいなら何も出さない方がよいと思っている（「ざっくり」「えいやっ」という言葉は辞書にない）

といったところである。もちろん、完璧主義は必ずしも悪いことではない。例えば、顧客に対しての最終品質の責任を負っている仕事をしている人はこういった姿勢が通常求められるのだが、やわらかい状態で結論に向かっていく段階においてはこうした姿勢が時としてマイナスに働くのである。

処方箋としては、

・時としてスピードが品質より優先順位が高くなる（時間をかけて完璧なものをアウトプットしても意味がない）場合があることを理解する

・そのために期限を切って限られた時間を制約条件とした仕事をする癖をつけることが必要である。

そのためにフェルミ推定を用いて「タイムボックス」の考え方を習得し、時間を区切ってその中で必ず答えを出すという習慣づけを学ぶことが重要となる。

「情報コレクター」――少ない情報で仮説を立てる

分析や集計作業をする際にとにかく情報を集めたがる人種である。

具体的な症状としては、

・常に仮説より先に情報を集め始める
・結果として、使われない情報を山のように収集している
・時として情報の洪水に溺れて何をしているのかわからなくなる
といったところである。

処方箋としては、
・情報収集の前に仮説を立てる癖をつける
・仮説にしたがった情報収集を心がける
といったことが挙げられる。

そのためにフェルミ推定を用いて、少ない情報で仮説を立てる訓練をすべきである。またその後の仮説検証活動を通じて、仮説に従った情報収集や、それによる仮説の修正、最終結論に至るまでの道筋を習得すべきである。

「猪突猛進」──客観的に全体像で考える

周りが見えずに自分の視野だけを頼りにひたすら猛進する。馬力はあるが、時として周りから不安視されるタイプである。

具体的な症状としては、
・自分の思い込みで暴走し、時として周りからストップがかかる

・他人に対する説明や文書がひとりよがりでわかりにくい

といったところである。

処方箋としては、

・一歩引いて全体像を見る癖をつける

・自分の視点でなく、自分を客観的に見られる視点に立つことが必要である。

そのためにフェルミ推定で、客観的に見られる全体像で考え、それを他人にわかりやすく説明する訓練をすべきである。

「セクショナリズム」――各因数のバランスよい算出を習得

具体的な症状としては、

・全体の最終アウトプットを意識せずにとにかく自分の範囲だけを完璧に仕上げることに専念する

・その結果として必要以上に詳細なことに労力を費している

といったところである。

処方箋としては、

・常に最終目的を達成することを意識する

・そのための全体要素の中での自部門の役割を認識することが必要である。

フェルミ推定で、全体を意識したアウトプットを出すための各因数のバランスよい算出を習得すべきである。

「経験至上主義」――一般化・モデル化・共通の解法の適用

具体的な症状としては、

・自分の経験のみを行動のよりどころとしている

・自分の置かれた環境を実態以上に特殊だと思っており、他者（他社や他業界）から学べることはないと思っている

・事象を一般化して議論することは嫌いである

といったところである。

処方箋としては、

・まずは自分の状況の置かれた状況が必ずしも特殊でないことを認識して他の世界から学んでいく姿勢を持つ

・一般化や抽象化によって、応用力を広げるという意識をつける

が挙げられる。

そのためにフェルミ推定で学ぶべきことは、事象の一般化・モデル化・複数対象への共通の解法の適用等である。

次章以降では、仮説思考に加えてフレームワーク思考、抽象化思考といった地頭力の基本となる思考力の具体的な応用例について紹介し、これらの思考力を習得するとはどういうことか、何の役に立つかについて詳細に述べていきたい。

第４章のまとめ

1．フェルミ推定の意義は、個別の問題そのものを解けることになることよりも、その基本精神やプロセスを身の回りの問題解決に適用していくことである。

2．我々の中には「検索エンジン中毒」、「情報コレクター」、「完璧主義」、「猪突猛進」、「セクショナリズム」、「経験至上主義」等のような思考回路がひそんでおり、これらが具体的にフェルミ推定の精神を学ぶべき対象として挙げられる。

第5章

「結論から考える」仮説思考力

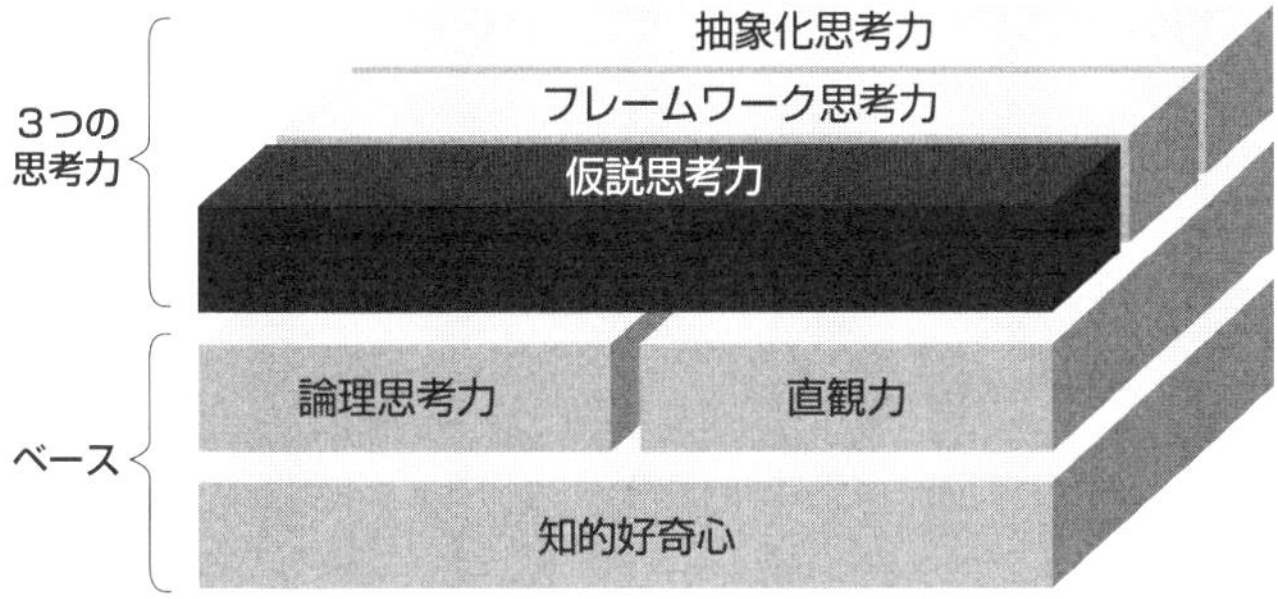

仮説思考力のポイント

まずは「結論から考える」仮説思考力について、その意味するところ、効用、応用例等について具体的に説明する。

第3章で述べた仮説思考力のポイントを再整理しておこう。

仮説思考とは、①いまある情報だけで最も可能性の高い結論（仮説）を想定し、②常にそれを最終目的地として強く意識して、③情報の精度を上げながら検証を繰り返して仮説を修正しつつ最終結論に至る思考パターンのことである。ここでのポイントは、①どんなに少ない情報からでも仮説を構築する姿勢、②前提条件を設定して先に進む力、③時間を決めてとにかく結論を出す力の三点であった。

仮説思考で最も効率的に目標に到達する

では、なぜ仮説思考が重要なのか？　それは限られた時間の中で最善の結論を効率的に出すためである。我々の周りの課題は、ビジネスであれ日常生活であれ曖昧でつかみどころのないことや複雑に事象が絡み合って一筋縄では解決しないことだらけである。こうした状況で探索的に

図5-1　仮説思考の概念図

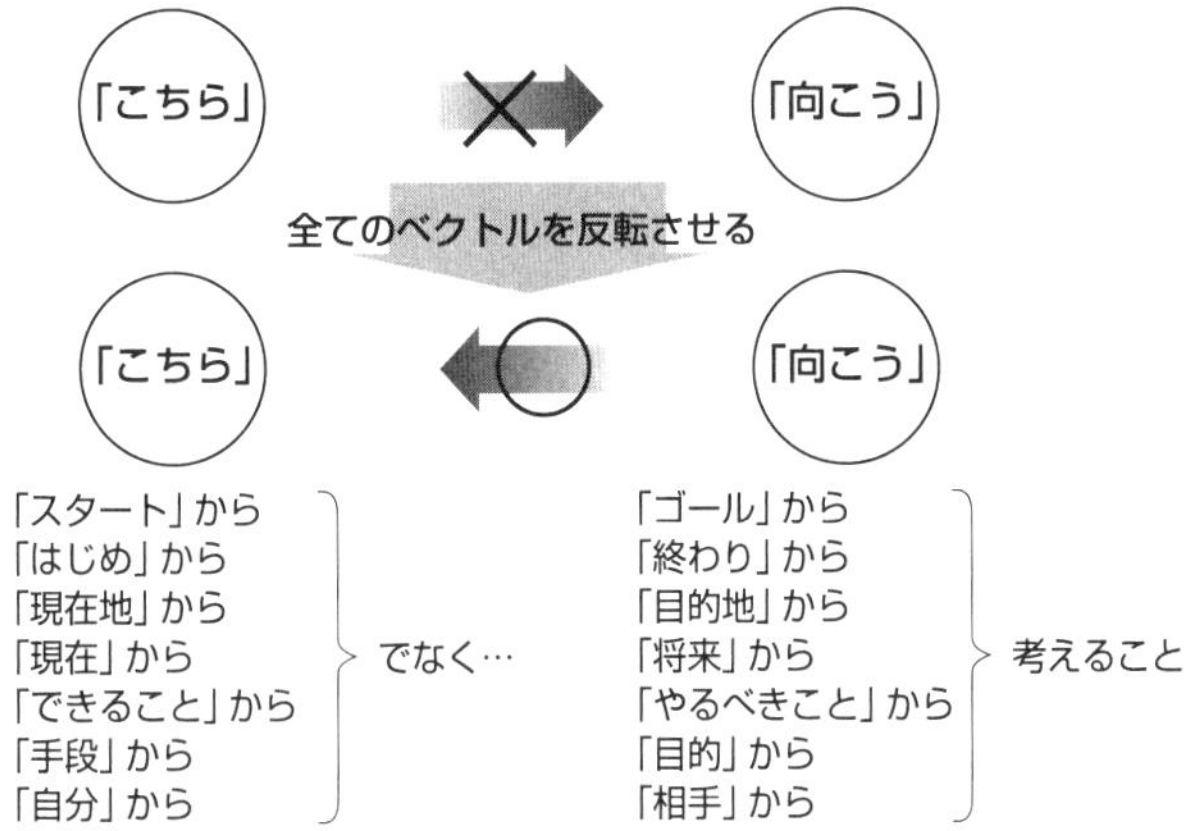

解を探そうとすると、種々の条件の組み合わせをすべて試す羽目になって天文学的な組み合わせの数の解を試さなければならなくなり、非効率どころか結論に近づくことすらできなくなるであろう。例えば将棋を考えてみればよい。基本的に盤面や駒の数が決まって完全に閉じた盤面の中だけで展開される将棋でさえ、最高パフォーマンスのコンピュータシステムを駆使してもあらゆる解の可能性を探索して評価することなどできない。まして変数の数が桁違いの人間世界の問題解決においては言うまでもなかろう。

仮説思考とは「逆算する」こと

仮説思考の応用範囲は幅広い。実は仮説思考の本質とは、「ベクトルを逆転して考える」「『こちらから』でなく『向こうから』考える」あるいは、「逆算して考える」ことである（図5－1）。

狭義の仮説思考は「結論から考える」という定義になるが、これを「最終目的地から遡って考える」という解釈に応用して考えると非常に適用範囲が広いことがわかる。例えば、「はじめ」からでなく「終わり」から考えること、「手段」からでなく「目的」から考えること、「できること」からでなく「やるべきこと」から考えること、「自分」からでなく「相手」から考えること（例えばコミュニケーションにおいて）等、応用範囲はほとんど無限といってもよいほど広い。

これは筆者自身も経験したことであるが、少し大げさにいうと、仮説思考で考えることは「世界が変わって見える」といえるほどの思考のコペルニクス的転回になりうる。

では具体的に「ベクトルを逆転する」あるいは「逆算して考える」とはどういうことか、これによって思考回路がどう変わってどんなメリットがあるのかについて説明していこう。この広義で解釈すると、仮説思考というのは非常に応用範囲が広く、奥が深いということがおわかりいただけるであろう。

「はじめ」からでなく「終わり」から考える

まずはじめの「ベクトルの逆転」は時系列としての「始め」からでなく「終わり」から考えるという応用である。

例えばあなたがある期間内に調査結果をまとめるプロジェクトのリーダーに任命されたとしよう。基本となるプロジェクトの目的と期間が与えられ、具体的なアクションを考え出すときにあなたがはじめに考えるべきことは何だろうか？　「まずは明日からのアクションを考えなければならない」「それが終わったら明後日以降、次は来週の計画を立てよう」と考えたとしたら、あなたは「ベクトルが逆転していない」人である。では「ベクトルが逆転している」人はどう考えるか？　まず考えるべきはプロジェクトの「最終報告」のことである。つまり最終的に「誰に」「どんなメッセージが」伝わればよいかということである。プロジェクトが始まってもいないうちから「最終報告」のことを考えるというのは「ベクトルが逆転していない人」から考えたらおそらく正気の沙汰とは思えない行動だろう。この意味するところは何だろうか？　最終報告の目次とは、プロジェクトの仮説に他ならない。これをはじめから想定しておくことによって、最も効率的にプロジェクトの結論を導くことが可能になるのである。

「できること」からでなく「やるべきこと」から考える

「ベクトルの逆転」を別の切り口で考えれば、「できること」でなく「やるべきこと」から考えるという風に見ることもできる。言い方を換えれば「現状」からでなく「あるべき姿」から考えるということである。企業内で業務改革活動等を実施するときには、常にこの二つの視点が出てくる。あるべき姿を論じるときに、当然「できること」を考えることは重要であるが、最終結果として重要なのは何が達成できたかである。そのためには、背伸びをした目標を設定して、それを実現するために現状とのギャップを抽出し、それを埋めるための方策を考えていくというのが改革への最短ルートである。業務改革を専門とするグローバルなコンサルティング会社はこうした方法論を有しており、効率的に最終目標を達成するためのプロセスを共有している。その基本となっているのがこの「やるべきこと」つまり「あるべき姿」から考えるという発想なのである。これは我々の日常生活でも様々な形で応用できる。

「自分」からでなく「相手」から考える

「ベクトルを逆転させる」次の応用例はコミュニケーションである。

コミュニケーションで一番重要なこと、それは「自分が何を伝えたか」でなくて「相手に何が伝わったか」である。言葉で表現するのは簡単であるが、大多数の人はこの「ベクトルの逆転」ができていない、あるいはそれを自覚していない。皮肉屋として数々の名言を残し、ノーベル文学賞も受賞しているアイルランドの劇作家、ジョージ・バーナード・ショーの言葉に「コミュニケーションにおける最大の問題は、それが達成されたという幻想である。("The greatest problem in communication is the illusion that it has been accomplished.")」というものがあるが、コミュニケーションギャップの本質をとらえたなかなかの名言である。

コミュニケーションがうまくいっていない場合のほとんどが、この「鉄則」が守られていない場合である。コミュニケーションの苦手な人がよく発する言葉というのが、「コミュニケーション上の問題はありません」「きちんと伝えました」「○○に××と書いてあります」「あれほど言ったんですが……」等という言葉である。お気づきだろうか？　これらの言葉はすべてベクトルが逆転していない、つまり「伝え手側から」の論理である。そこには、相手に実際にどこまで伝わったのか、相手がどこまで理解したのか、といった観点は一切入っていない。

「売れないセールスマン」にならないために

次にプレゼンテーションの場においても同様のことがいえる。

例えば会議の場で何かの報告をしなければならないとする。こんな場合にあなたは、

・まず報告したい議題（アジェンダ）の説明をし、
・それから個々の報告用の説明に入る

という手順を取ってはいないだろうか？

この手順のどこに問題があるかお気づきだろうか？

最大の問題は、これは「ベクトルが逆転していない人」、つまり自分中心で考えている人のやり方なのだ。では「ベクトルが逆転している人」はどう考えるだろう。相手中心に自分の報告を考えるならば、最優先で考慮すべきことというのは、

・この報告が相手にとってどういう意味があり、
・相手にどうしてほしいか

であり、これを最初に伝えることから始めるべきだろう（つまり目的の確認である）。「議題」と

いうのは「話し手側から」伝えたい内容であり、その説明はその後でよい。

最初のやり方のように「話したい議題」の説明から入る人というのは「売れないセールスマン」と同じである。いきなり「私はこれを売りに来ました」「だから説明を聞いて下さい」と言ってもお客の方は「それに一体自分にどんなメリットあるの？」とか「今日は私にどうしてほしいの？」と思うことだろう。これでは絶対に売れるわけはない。

同様にプレゼンテーションの準備にも差が出てくる。「ベクトルが逆転していない人」は一生懸命自分のスライドの準備に余念がなく、完璧なスライドファイルを作成しようとするが、ここには「相手」という発想が欠落している。「ベクトルが逆転している人」の考えることは、その会議の出席者は誰か、どのキーパーソンにどんなメッセージを送り、どうなってもらえばよいのか（単なる理解をしてもらえばよいのか、承認なのか）を徹底的に考えて、そのための準備という逆算の発想をするのである（極論すれば資料など一枚もいらないかもしれないのだ）。

相手の立場でコミュニケーションする。基本中の基本ではあるが、これほど難しいことはない。よほどできている人でも自分の十分の一ぐらいしか相手のことを考えていないと思うのが安全だろう（逆に普通の人は百分の一ぐらいしか相手の視点でなど考えてはいないのだ）。我々は「いかに自分が相手の目線で考えていないか」を常に自覚し、先出のショーの言葉を肝に銘じておきたいものである。

せめて読者は「売れないセールスマン」にはならないように気をつけていただきたい。

会議が「ミステリー列車」になっていないか？

さらに応用であるが、会議の進行をするにもいきなり議題の説明から各議題に入ってはいけない。何をおいても「目的（会議の目指す達成レベル）の確認」が最優先である。目的を確認しないで議論に入るのは、どこに行くかがわからないがとにかく電車に乗り込む「ミステリー列車」と同じなのだが、実際にはこうした会議があまりに多い。各々の乗客が想定している目的地は本当にみな一致しているだろうか？

会議の進行者は旅行の添乗員のようなものである。ここではくれぐれも（意図せぬ）「ミステリー列車の添乗員」にならないように気をつけたいものである。

「手段」からでなく「目的」から考える

同様のことが手段と目的の関係でもいえる。目的とは目指す最終到達地点という点で仮説と似た概念である。これに対して手段とはその地点に到達するための方策である。本来は最終目的にたどり着くために手段が存在するはずなのだが、往々にしてこれが逆転してしまうことがある。いわゆる「手段の目的化」である。

図5‐2を見てほしい。これは手段が目的化する典型的なパターンである（例えば情報システム構築で考えるとわかりやすいだろう）。

図5-2　手段と目的の逆転

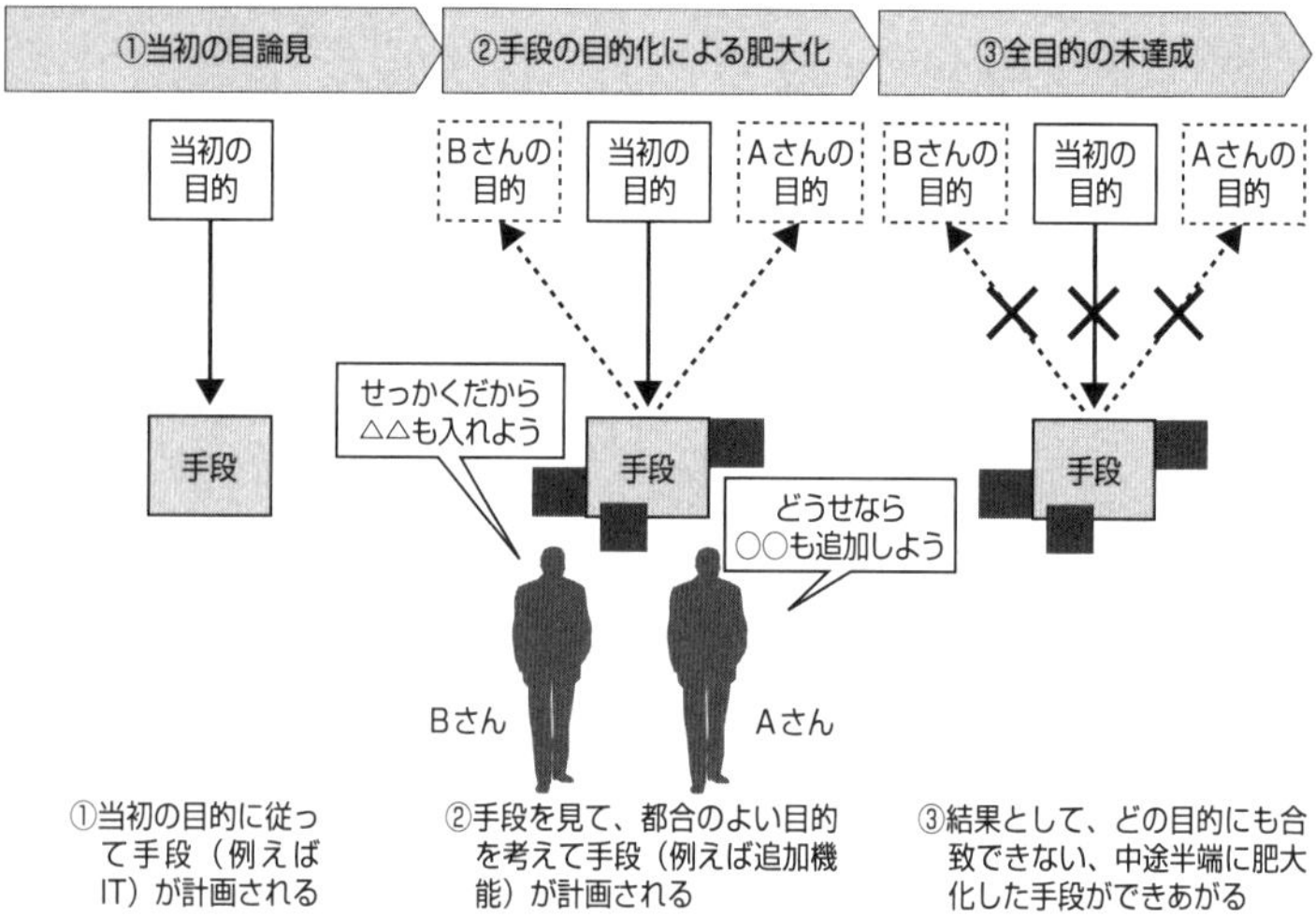

①当初の目的に従って手段（例えばIT）が計画される
②手段を見て、都合のよい目的を考えて手段（例えば追加機能）が計画される
③結果として、どの目的にも合致できない、中途半端に肥大化した手段ができあがる

ステップを踏んで見てみよう。

①当初の目論見

まずどんな活動でも、活動をスタートするときには当初の目論見というものがある。つまり目的からスタートして手段を考える。情報システムでいえば、例えば情報システムを全体最適化して全社の経営情報を横串で活用し、システムの維持コストを最小化することであり、そのための手段としてERP（統合パッケージシステム）の導入を検討するといったことである。

②手段の目的化による肥大化

そうやってある目的のためにスタートした手段であるが、手段の方が目に見えやすいために実際のシステム導入の検討過程において「どうせこれをやるんだったら○○

も考えようよ」とか、「せっかくここまで考えるんなら△△のことも考えておこう」といって、見る人によって都合のよいような目的のために「微修正」してしまおうという動きが出てくる。前述のＥＲＰの例でいうと、例えば経理部門、調達部門、製造部門、物流部門、営業部門といった各個別部門の担当者がそのシステムを見て、いまの自部門のシステムをこれで置き換えるのであれば、こういう機能もつけたい」とか「せっかくシステムを更新するのならこういう機能を追加したい」といったように当初の目的に意識することなく自分に都合のよい目的に解釈して手段である情報システムの機能追加を要求していき、システム仕様が肥大化してしまうのである。

③全目的の未達成

こうした結果あらためて全体を見てみると、当初の目的以外の異なる多数の目的のために手段が肥大化して、結局何のための手段かがわからなくなり、肥大化しているために実施が困難になっていくというのが業務改革等で頻繁に見られる構図である。ＥＲＰの例で言うと、各部門からのカスタマイズ要求が肥大化してコストや期間が当初予定を大幅にオーバーする割りには当初の目的であった「全体最適」には程遠いものとなってしまうという状況に陥るのである。

この例に見るように、「せっかくだから……」「どうせなら……」という言葉が聞こえたときには要注意である。本来あるべきベクトルの向きと主客逆転が起きて手段が先行する考えになっている可能性がきわめて高いからである。常に本来の目的を強く意識して、関係ない手段は思い切って切り捨てることがこういった場面では重要なのである。

目的を常に最終到達地として強く意識し、手段と混同しないこと、これが仮説思考の教えるところの一つである。

キャリアプランも仮説思考で考えてみる

一つの応用として仮説思考をキャリアプランに適用することを考えてみよう。例えば読者が学生だったとして、どんな会社に就職するかを考えてみる。アルバイト程度の経験はあるにしても自分が将来候補とする職業を経験したわけではないから、いずれにしても非常に限られた情報によって次の進路を決めざるを得ない。ここで取るべき方法は大きく二つである。第一はとにかくいまできることから考えること、あるいは何をするかというよりはまずは安心な会社を選び、そこで何をするかは会社に配属先として「決めてもらって」経験を積みながら考えるというやり方で、従来の日本の伝統的大企業でよく見られた「就社」の考え方である。まずは与えられた仕事を幅広く経験してから自分の適性や嗜好を見きわめた上で最終的な方向性を決定していくのも、もちろん一つの考え方であるし、これまでの終身雇用におけるゼネラリスト育成という日本企業でのキャリア育成としてはある意味有効に機能していた。

ただし、時代は変わった。

若者の価値観は多様化し、終身雇用制度も崩壊しつつある中で、「自分探し」と称して社会人になってから数年を経過しても会社を辞めてゼロベースで自分の将来を考え始める若者が増えてきている。こんな場合に参考にしてほしいのが「結論から考える」仮説思考である。同じ自分探しをするのでも、闇雲にいろいろなことを試すのと、少ない情報しかなくても、今までの自分の経験や価値観等から自分の進みたい姿を「仮説」として置いてみて試行錯誤して経験を積みながらそれを「検証」していくという姿勢では自ずと結論に至るまでの時間や結果の品質にも差が出てくるだろう。

自己啓発の本や、ある道をきわめた成功者の体験記などを読んでいると必ずといっていいほど出てくる「夢を持て」とか、「目標から逆算していまやるべきことを考えよ」等というメッセージは基本的に「自分のキャリアプランを仮説思考で考えてみよ」と言っているのである。例えば大リーグや海外でプロスポーツ選手になるという夢を叶えた選手等はほぼ例外なく遅くとも高校生ぐらいには「海外で活躍する」という将来像を強く心に描いて、それを実現するための努力を日々実行することによって自分の夢を実現したに違いない。高校生のときに「大リーグに行く」などと言ったところでその時点としてはあまりにつかみどころのない単なる「あるべき姿」であったには違いないが、それを描いたからこそ実現できたのである。キャッチボールの一球一球、素振りの一振り一振りを漫然と実行するのと、「大リーグに行くため」という明確な目標意識を持って日々を積み重ねるのとでは結果に歴然とした差が出てくるというのは想像に難くないであろう。

まだ自分の「天職」が見つかっていない人は参考にしてみてはいかがだろうか。もちろん、経験を重ねるうちに「仮説」が外れたと思えば軌道修正をかけながら進んでいくべきであるというのもまさに仮説思考と同じ発想である。

人生設計を「自分の葬式」から考える

キャリアプランのみならず、人生そのものも仮説思考で考えるべしと主張しているのが、一九九〇年に発売され、世界で一五〇〇万部以上のベストセラーとなっている『7つの習慣』(スティーブン・R・コヴィー)である。この本の紹介する、成功者に共通の七つの習慣のうちの一つとして取り上げられているのが「目的を持って始める」というもので、その例として紹介されているのが、「自分の葬式から考える」というものである。「自分の人生をいかに生きるべきか?」「自分の人生において重要と思う価値観は何なのか?」そして「これをいかに実現して自分のなりたい人生を生きるか?」。これらを考える一番の方法は「自分の葬式はこうあってほしい」というのを思い浮かべてみることだというのである。

自分の葬式を思い浮かべてみよう。そこには誰に参列してほしいのか? 仲の良い家族なのか、多数の仕事関係者なのか、そこで参列者が故人である自分のことをどうしのんでくれるのか、弔辞は誰がどんな内容のことを述べているのか、家族は、仕事の同僚はあなたのことを何と言って思い出しているのか、近所の人はどうか、といったことを考えてみる。それがあなたの生きたい人生であり、価値観を決めるものである。それが明確になれば、次にすべきことはそうあるためにどうすればよいかを考えることであり、そうすれば自ずといま自分の生きたい人生や価値観が決まってくるということである。

両方のベクトルをバランスよく考えること

ここまで「ベクトルを逆転させるべし」という話を様々な角度からしてきた。現実にはこれら二つのベクトルをバランスよく使い分けながら使いこなしていくのが重要なのであるが、大部分のビジネスパーソンというのは通常「結論から」考えるという仮説思考の視点が圧倒的に弱く、思考回路の振り子を思い切り逆に振るという意味で「ベクトルを逆転させる」ことをおすすめするのである。また順番としてもまずは結論、つまり「向こう側から」考えて「こちら側」の視点からの制約条件等を考慮するといったように、常に結論や目的を先に考えるという優先順位も重要である。

どんなに少ない情報からでも仮説を立てる

第3章の例題で「どんなに少ない情報からでも仮説を立てる」ということを経験していただいた。それでも日常生活にもどると普通の人は仮説の前に情報を集めたがるものである。情報というものはある意味「幸せの青い鳥」のようなものだ。実は身の回りにたくさん存在しているのに気がついていない、あるいは十分に活用しきれていない。あればあったでさらにどんどんほしくなって、いつまでたっても十分と思うことはないのだ。

仮説が先か情報収集が先か?

「どんなに少ない情報でも仮説を立てる」という話をすると必ずある反論は、「そうは言っても何も情報がなければ仮説は立てられないでしょう」というものである。つまり、「にわとりが先かたまごが先か」という議論である。ある意味正しいのであるが、ほとんどの場合こう考えるのは正しくない。なぜなら「情報がない」という認識が間違っているのであり、実は必ず何らかの情報は持っているのにそれを使おうという姿勢がない場合がほとんどであるからだ。例えばフェルミ推定の電柱の例で、いきなりこの問題を出されたらほとんどの人は「ほとんど情報がないからちょっと調べてから」とまず思うであろう。実際は毎日電柱を見ながら街を歩き、これまでの何十年かの人生でどんな地域で電柱がどんな配置になっているかおおよそのことまで知っているのに……である。電柱の解答例で示したとおり、実はその情報だけでも概算してみれば桁数のレベルではプラス・マイナス一桁程度の誤差の答えは出てしまうのである。一見雲をつかむような話に思える電柱の話でさえ最初の仮説を立てるに足る情報は十分なのである。ましてや読者が日々出会うような課題については「すでに十分な情報を持っている」と考えてよい場合がほとんどである。「情報を集めたい病」を克服するのが、仮説思考への第一歩であると考えていただきたい。誰でも簡単に膨大な情報を収集することが可能なインターネット時代だからこそ、検索エンジンにキーワードを入力し始める前に一歩立ち止まって、「どんな仮説を立てて」「何のために」この情報収集をしようとしているかを考えることが、情報の洪水に溺れないようにするための最大の手段なのである。

仮説を立てて情報収集をすることにはもう一つ別のメリットもある。それは仮説を立てて目標感を高く持っていると、情報に対する感度が上がってくるのである。普段なら何気なく見逃していたような情報が、仮説という目標を常に意識していると見逃さずに入ってくるというのは明確な効果といえる。

データ分析の成否を決める仮説構築力

仮説構築力というのは、前項で述べたような情報収集の段階のみならず、データ分析の段階においても効果が大きい。膨大なデータを前にして分析を開始すると、往々にして「分析すること」そのものが目的となってしまい、分析したはいいが最終的に（あるいは途中段階で）使われない分析結果が山積みにされてしまうという状況は非常にありがちである。また分析結果をまとめていく上でも仮説をきっちりと立てておくのとおかないのでは出来栄えが格段に異なってくる。例えばアンケート調査を実施するにしても、最終到達点（分析結果の仮説）を明確にするとともにそこに至るまでにどんなデータをどう集めてどう集計してどんなグラフを作るか等の

「一気通貫シミュレーション」を後ろから遡って実施しておけば、無駄になるデータを最小化しながら所定の仮説を検証するということができるようになっていくのである。あるいはアンケート項目の取り方（いくつの選択肢にするか、自由記述にするか等）も最後の分析のまとめ方や結論までを想定しておかないと、集計段階になって「こうやっておけばよかった」と思ってしまうのはよくあることである。

仮説思考している人の口癖は「落としどころ」「うそでもいいから」

「仮説思考力」という言葉を使うとずいぶん改まった難しい考え方のようであるが、実は我々の周囲にもこうした思考回路の人は多数存在している。そういう人たちの口癖が、「落としどころ」とか「うそでもいいから」といった表現である。この「落としどころ」というのはまさに仮説そのものであるし、「うそでもいいから」というのも、「現在わかっている情報だけで」の言い換えという点で「仮説思考してみよう」ということである。

ただし、これを仮説思考になじみのない人から見ると、やる前から「落としどころ」を考えておく等というのはある意味不謹慎なことに思えるかもしれない。また「うそでもいいから」などというのは、完璧主義の人には許せない言葉だろう。この考え方が適切なものでないことは、これまでに展開してきた仮説思考の重要性や意味などから明らかだろう。「落としどころ」を考えて事に臨むのと闇雲に着手するのとでは効率が格段に異なってくるのはこれまで述べたとおりである。ただし、「落としどころ」というのは「その時点で想定する最善の」着地点であって、必ずそこに誘導しなければならないという偏見になってしまっては具合が悪く、あくまでもフレキシブルに変えていくというのが大前提である。

前提条件を決めて前に進む

仮説思考の二番目のポイントは、「前提条件を決めて前に進む」ことである。再び電柱の例題を思い出してほしい。あいまいな定義の課題を与えられたときに、能動的に先に進めるか、受動的に立ち止まるかは大きな違いとなる。以下に具体的に解説していこう。

前提条件を決めるとは課題を定義すること

前提条件を決めるというのは、裏を返せば課題の線引き、つまり課題がどこからどこまでかというのを明確に定義していくことである。我々が日常直面する課題というのは、クイズのように明確に境界が定義されたものなどはほとんどなく、どこからどこまでが課題かわからないようなもの、さらに言えばそれが本当に課題なのかどうかもわからないようなものであり、実は課題を解決するために一番難易度が高いのがこの「課題を定義する」ということなのである。課題が明確に切り分けられてしまえば実はもう半分以上解決したも同然といっても過言ではない。

情報が足りなくても立ち止まらない

ここで重要なのは立ち止まらないで前に進んでいくということである。前述したように、課題というのはあいまいなことだらけであり、ここでいちいち立ち止まって前提条件を人に確認しながら進める、あるいは確認できるまで進められないという態度で課題に臨むのと、あいまいなことは本来の目的に立ち帰って現実的な線で「勝手に」決めてどんどん前に進んでいくという姿勢で臨むのとでは積み重ねていくと天と地ほどの差が出てくる。

いちいち前提条件を決めてもらえないと先に進めない人たちがいわゆる「指示待ち族」である。ただしここで注意すべきは、自分で前提条件を決めて先に進んだ場合には、どんな前提条件を設定したかを他者に対しても客観的にわかるように明確にしておき、前提が異なっていた場合にはいつでも必要なところまで戻ってやり直せるようにしておくことである。

限られた時間で答えを出す「タイムボックス」

仮説思考における次のポイントは、決められた制限時間内にとにかく答えを出すという「タイムボックス」の考え方である。二分なら二分なりの、三時間なら三時間なりの、三週間なら三週間なりの答えを出すことが重要である。フェルミ推定の例題でも、制限時間内に何でもいいから答えを出すことが重要だったことを思い出してほしい。「どのくらいでできそうか?」と考えて納期を見積もるのではなく、「この納期でどこまでできるか？」と考えるのがタイムボックスの根本にある発想であり、発想の転換がなかなか難しい。

完璧主義を捨てる

フェルミ推定の例題の解答例で、「限られた時間でとにかく答えを出す」ことが重要だと述べた。このことに対しての一番の敵は何だろうか？　それは「完璧主義」である。完璧主義の人というのは、例題で最初の時点でつまずいてしまうのが、このタイプの解答者である。フェルミ推定の例題で最初の時点でつまずいてしまうのが、このタイプの解答者である。まずは細かい前提条件、言葉の定義を行ってからでないと問題自体に着手することもできず、根拠が十分に揃うまでは時間をオーバーしようと決して解答を出さないのである。

身の回りの事例で考えてみよう。

例えば読者が人気のディスカウント店の開店日の特別セールに行ったら店の前に数百名の長蛇の列があったとする。最後尾には案内役の店員がいたので、「大体どのぐらい並びますか？」と聞いたら返ってきた答えが、「さあ、中のお客さんによって変わるので何とも言えませんね」というものだったとすればあなたはどう感じるだろう。あなたが知りたかったのは十分なのか、二時間なのかといった概算値である。店員は当然あなたより精度の高いレベルでの推定（大体この人数であればおそらく三〇～四五分の間だろう……）はできていたはずであるが、後で文句を言われることを恐れ（完璧主義に陥って）お客であるあなたへのサービスやニーズを考えずに答えを出せなかった。間違ったことを言ってしまえばクレームになりかねないので、慎重な対応が必要なのは理解できるが、ここでの顧客の期待値を考えて臨機応変に回答することはできなかっただろうか。またこれは、「聞いている側の想定範囲は聞かれた側の想定範囲より通常はかなり広いので、ラフな答えでも何も答えないよりはるかに役に立つ」ことを示した一例である。

あるいは官僚主義に陥った大きな組織でもこういったことが起きうる。最終的な顧客サービスを迅速に実行することよりも、組織内での論理を優先させて意味のない品質向上のためにアウトプットが遅くなってしまうというのはよくある事象である。このように完璧主義を生むのは組織であって、必ずしも個人の責任ではない場合も往々にしてある。

完璧主義の人には是非フェルミ推定で「とにかく答えを出す」という訓練をしてほしい。いきなり日本全国の電柱の本数を算出するよりは、日々の業務で経験する「根拠が弱い」ことなどは仮の結論を出すには十分すぎるほどのものだということがわかっていただけるであろう。ビジネスの現場では、限られた時間と情報で最善の意思決定をしなければならない状況がほとんどである。もちろん最終結果を前にした完璧主義は必要なものだが、時としてそれは有害にもなるのだ。

「ほうれんそう」をタイムボックスで考える

上司への進捗報告、いわゆる「ほうれんそう」のことを考えてみよう。第4章の地頭課長と積上クンのケーススタディを思い出してほしい。進捗状況を聞かれて「二日待って下さい」と答えた積上クンの答えは果たして地頭課長の質問に対しての回答になっていただろうか。地頭課長は「わかった。では二日後にまた」と言って納得してくれただろうか。おそらくここで地頭課長の期待していた回答は「現時点でわかっている範囲での結論」つまり現在の仮説である。ここでは、多少精度は低くてもよいから現在の情報でわかる状況を答えるというのが求められる態度である。上司は概数でもよいから現時点での状況を知りたかったのであって、たとえ精度が上がっても二日後では何の意味もない報告になってしまう可能性がある。こうした、精度よりスピードが求められる場合への対応、これは限られた短時間で概数を出すという点でフェルミ推定による訓練が有効である。

プレゼンテーションのQ&Aもタイムボックス思考で

「限られた時間でとにかく答えを出す」ことが求められる例として、もう一つの例を挙げておこう。プレゼンテーションにおけるQ&Aでの受け答えである。読者が多数の聴衆に対してプレゼンテーションをする場面があったとする。ほぼ例外なく最後にQ&Aの時間が設けられているであろう。ここでの質問に対しては「とにかく何か答える」という姿勢が望まれる。もちろん即答できない答えもあるだろうが、「後ほど調べて回答します」の連発になっては芸がないばかりか、話し手が質問に満足に答えられないようではプレゼンテーション自体の説得力も弱まる。事前にある程度の想定質問集は考えてはおくだろうが、それにも限界がある。

こういった場合に必要な思考がタイムボックスで回答するということである。もちろん短時間では完璧な回答はできないだろう。質問に答えるには情報が足りない場合もあるかもしれない。しかしプレゼンターとしてのあなたは基本的にその会場で一番そのトピックについて知っていると自信を持ってよいはずである。間違ったことを答えては元も子もないので、これは絶対に避けなければならないが、回答を保留するにしても何らかの回答をしておいた後に「詳細は確認します」といった形で締めくくるのが望ましい。これには多少の訓練が必要だが、日々の場面でとにかく回答を出すという姿勢で臨んでいると自然にこうしたことに習熟してくるようになるのである。

仮説思考の留意事項

ここまでその効果を述べてきた仮説思考であるが、そこには留意すべき落とし穴もある。ここではそれを述べておこう。

はじめの仮説にこだわりすぎるべからず

仮説思考とは誤解を恐れずにいえば、少ない情報しかないのに意図的に仮の結論を「思い込む」ことである。したがってそれは悪い意味での「思い込み」が持つのと同様のリスクがある。すなわち、仮説にこだわるあまりに視野狭窄となり、偏ったものの見方になってしまう可能性があるのである。とにかく現在ある情報から得られる最善の結論を想定して先に進むのが仮説思考であるが、情報の少ないところから結論を想定しているので、当然方向性が違っていることも多々ある（むしろはじめからぴったり合っていることの方が少ない）。大切なのは、この最初の仮説を検証していきながら精度を上げるという意識を常に持って、最新の情報でフレキシブルに仮説を「進化」させていくことである。当然それには当初の仮説を否定しなければならない場面も出てくるが、これを「ここまでそう考えて進んできたから」と当初の仮説に固執してしまっては判断を誤ることになる。一番極端な例は、実験データによって仮説を検証するという場面で、実験結果が当初の仮説に合わなかったからといってデータをねじまげてしまうなどということが起きてしまったら、これはまったくの本末転倒である。

仮説思考で考えるということは、当初の仮説を常に更新していくという姿勢とセットであるということを決して忘れてはならない。

深掘りが甘くなるリスクに注意

もう一つの留意点としては、深掘りが甘くなるリスクがある。仮説で考えると、「一見もっともらしい結論」に早期にたどり着けるようになるが、そこで十分な検証を行わないうちに安心してしまうと、深掘りが不十分な表層的な結論になってしまう可能性がある。したがって、たとえ検討結果の方向性が当初の仮説に案の定近かったとしても十分な分析を積み重ねて事実・データをもとにした十分な根拠をそろえた仮説検証を実行していくことが重要となる。

第5章のまとめ

1. 仮説思考とは、①いまある情報だけで最も可能性の高い結論（仮説）を想定し、②常にそれを最終目的地として強く意識して、③情報の精度を上げながら検証を繰り返して仮説を修正しつつ最終結論に至る思考パターンのことである。
2. 仮説思考を「最終目的地から逆算して考える」ととらえると応用範囲がきわめて広く、「はじめからでなく終わりから」「できることからでなくやるべきことから」「自分からでなく相手から」「手段からでなく目的から」等「ベクトルを逆転させる」という発想全般に適用可能である。
3. 仮説思考におけるポイントは、①どんなに少ない情報からでも仮説を構築する姿勢、②前提条件を設定して先に進む力、③時間を決めてとにかく結論を出す力の三点である。
4. 仮説思考力を使う上での留意事項は、①はじめの仮説にこだわらずに最新情報に基づいてフレキシブルに仮説を進化させる、②結論が早期に出る分、深掘りが甘くなることに注意する、の二点である。

第6章

「全体から考える」フレームワーク思考力

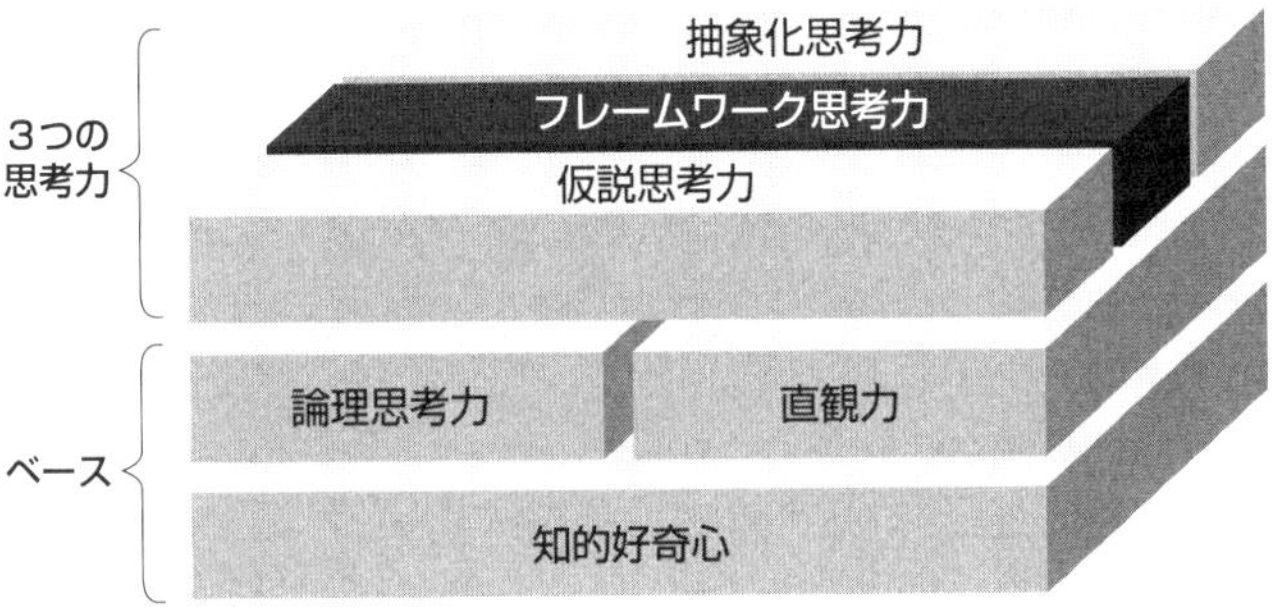

フレームワーク思考力のポイント

続いて「全体から考える」フレームワーク思考力について、その意味するところ、効用、応用例等について具体的に解説する。

第3章で述べたとおり、本書ではフレームワーク思考力を一般的に言われているフレームワークの考え方より広い意味にとらえ、大きく「対象とする課題の全体像を高所から俯瞰する全体俯瞰力（ビッグピクチャーシンキング）」と、「とらえた全体像を最適の切り口で切断し、断面をさらに分解する分解力」とで構成されると定義する（図6−1）。

さらにこの「分解力」は大きく「分類」（足し算の分解：狭義のフレームワーク）と「因数分解」（掛け算の分解）とに分けられる。フレームワーク思考力のポイントは大きく五点あり、①全体→部分への視点移動、②切断の「切り口」の選択、③分類、④因数分解、⑤ボトルネック思考であった。

本章ではこのフレームワーク思考力の特徴をさらに具体化して詳細に解説する。

図6-1　フレームワーク思考力の概念図

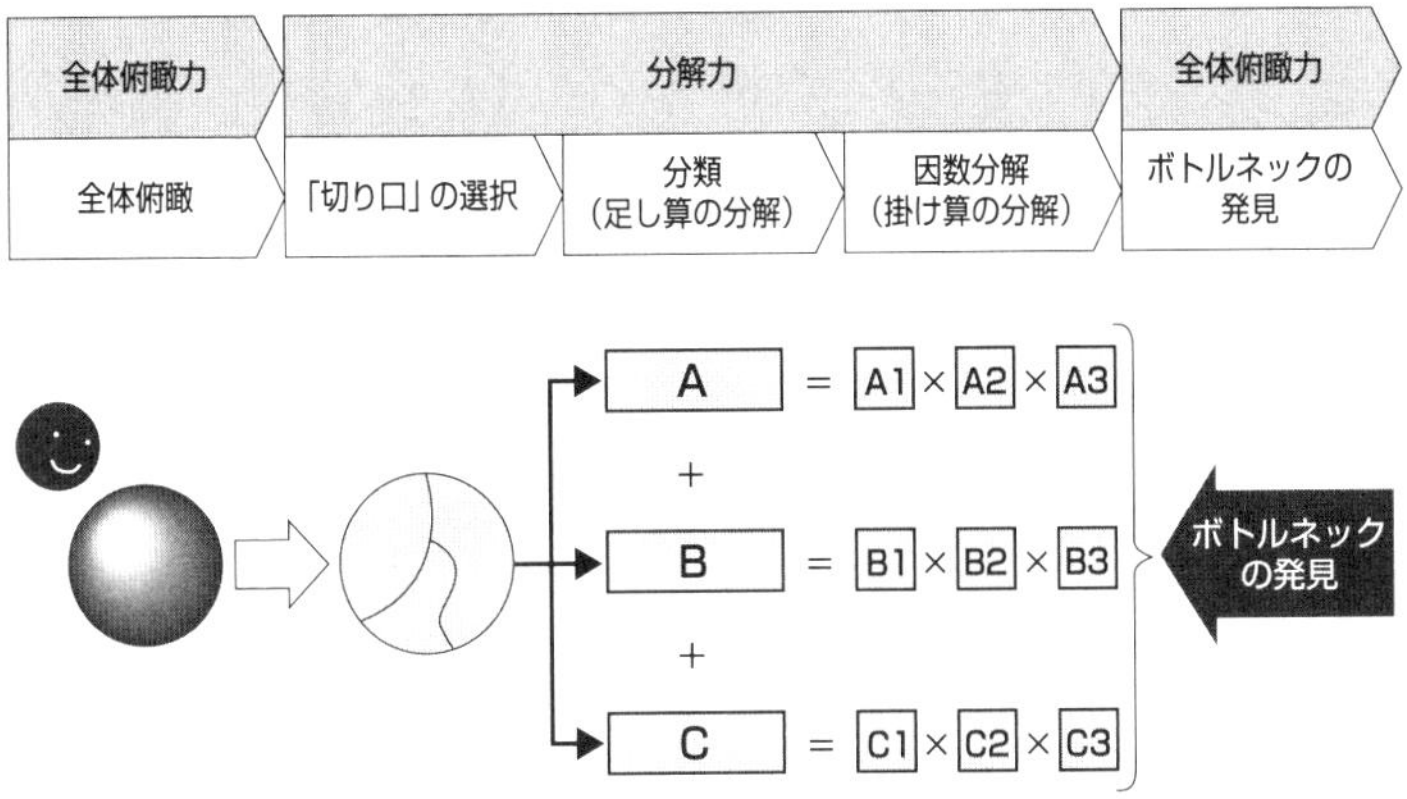

フレームワーク思考で「思考の癖を取り払う」

まずなぜフレームワークで考えることが重要なのか？　それは一言でいえば「思考の癖を取り払う」ためである。すべての人は過去の経験や知識から知らず知らずのうちに思考の癖がついている。これは必ずしも悪いことではなく、個人の個性や独創性もここから生まれるわけである。その一方で新しいアイデアをしがらみにとらわれずにゼロベースで考え出そうとするときや認識が共有されていない他者とコミュニケーションするときには弊害となる。すなわち、フレームワークで考えることは、アイデア創出に役立つとともに、コミュニケーションを円滑に進め、後戻りを最小化させて効率化させることにつながるのである。

それでは具体的に「思考の癖がある」とはど

ういうことか、フレームワーク思考でそれをどう解消していくか等について詳細に説明することにしよう。

すべての人には思考の癖がある

すべての人はものを見るときの立ち位置（視座）、方向（視点）や視野の広さ、あるいは具体的にはある言葉を聞いたときに思い浮かべる事象に違いがある。暗黙のうちに個人が持っている固有のものの見方のことでフレーム・オブ・リファレンス（Frame of Reference）と呼ばれ、個人ごとの「思考の座標系」ともいえる。（図6―2）

個人が持つ相対座標と絶対座標

人はものごとを考えるときに無意識のうちに「絶対座標」と「相対座標」というのを使い分けている。絶対座標というのは誰にでも誤解のないようなものの見方であり、相対座標というのは関連する当事者あるいは当人のみに通用するものの見方である。例えば地理的な場所の説明において、絶対座標というのは北緯何度何分、東経何度何分等という言い方がこれに相当する。逆に相対的な言い方というのは、駅を降りて右に曲がって、二つ目の信号を左に曲がって……といったような例えば「右」とか「左」といった言葉である。あるいは「例の……」とか、「あの人が……」といった代名詞も相対座標的表現の代表である。各個人は暗黙のうちにこれらを使

図6-2　座標系とは「ものの見方」

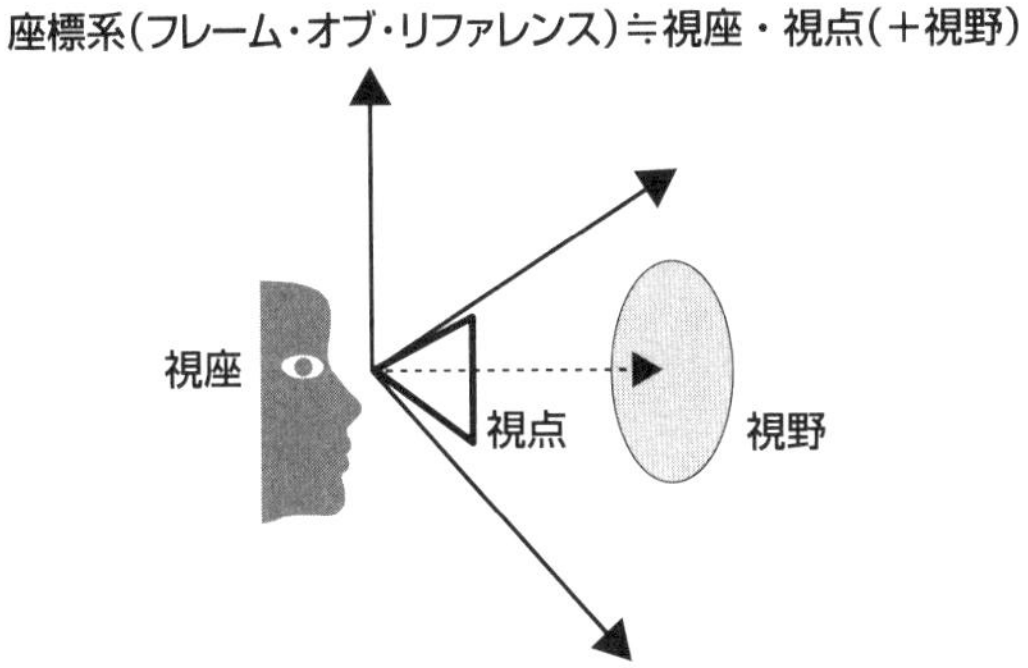

い分けながらコミュニケーションしている。

座標系の具体例

続いて座標系の違いの具体的なイメージをつかんでもらうために、簡単な事例で説明しよう。

個人による座標系の違いの例「駅の東口のAさんと西口のBさん」

Aさんと Bさんは○○線のX駅で待ち合わせをした。二人ともその駅には一度は行ったことがあったために、改札口を出たところのタクシー乗り場の前で待ち合わせをすることにした。ところが二人は首尾よく出会うことができなかった。たいして大きな駅ではないために二人とも改札口は一つだと思い込んでいたのである。二人とも完全にそう思い込んでいたために待ち合わせ場所を決めたときにも、改札を出て相手を捜すときにももう一つの出口があろうとはゆめゆめ思っていなかった。約束の時間を過ぎても姿を見せないBさんの携帯電話にAさんが連絡した。

A：Bさんいまどこ？

B：ああ、ちょっと遅れたけどさっき着いたよ。Aさんは？

A：僕も着いたところだけど……。

B：あれ？　見つからないなぁ……。タクシー乗り場の前でしょ？　駅と反対に向かって左にコンビニで右にガソリンスタンド見えない？

A：そうそう。あれ？　でもBさんが見つからないなぁ??

B：見つからないね……あれ？　もしかして……いま太陽どっちに見える？

A：左前方だけど……。

B：やっぱりそうかぁ。我々違う出口にいるみたいだよ。

この会話を客観的に見ている読者にはずいぶん滑稽な話に思えたかもしれない。だが実は、コミュニケーションで起きている誤解というもののほとんどは単純化すればこの構図と一緒なのである。

なぜこの会話が滑稽に思えるのか？　それは、①あなた自身が「ヘリコプターに乗った高所の視点」で、AさんとBさんがどこからどっちを見ているか（図6－3）を把握した状態でこの会話を聞いていること、②AさんとBさんはそのことに気づかずに自分の場所と視点だけから話し

図6-3　東口のAさんとの西口Bさん

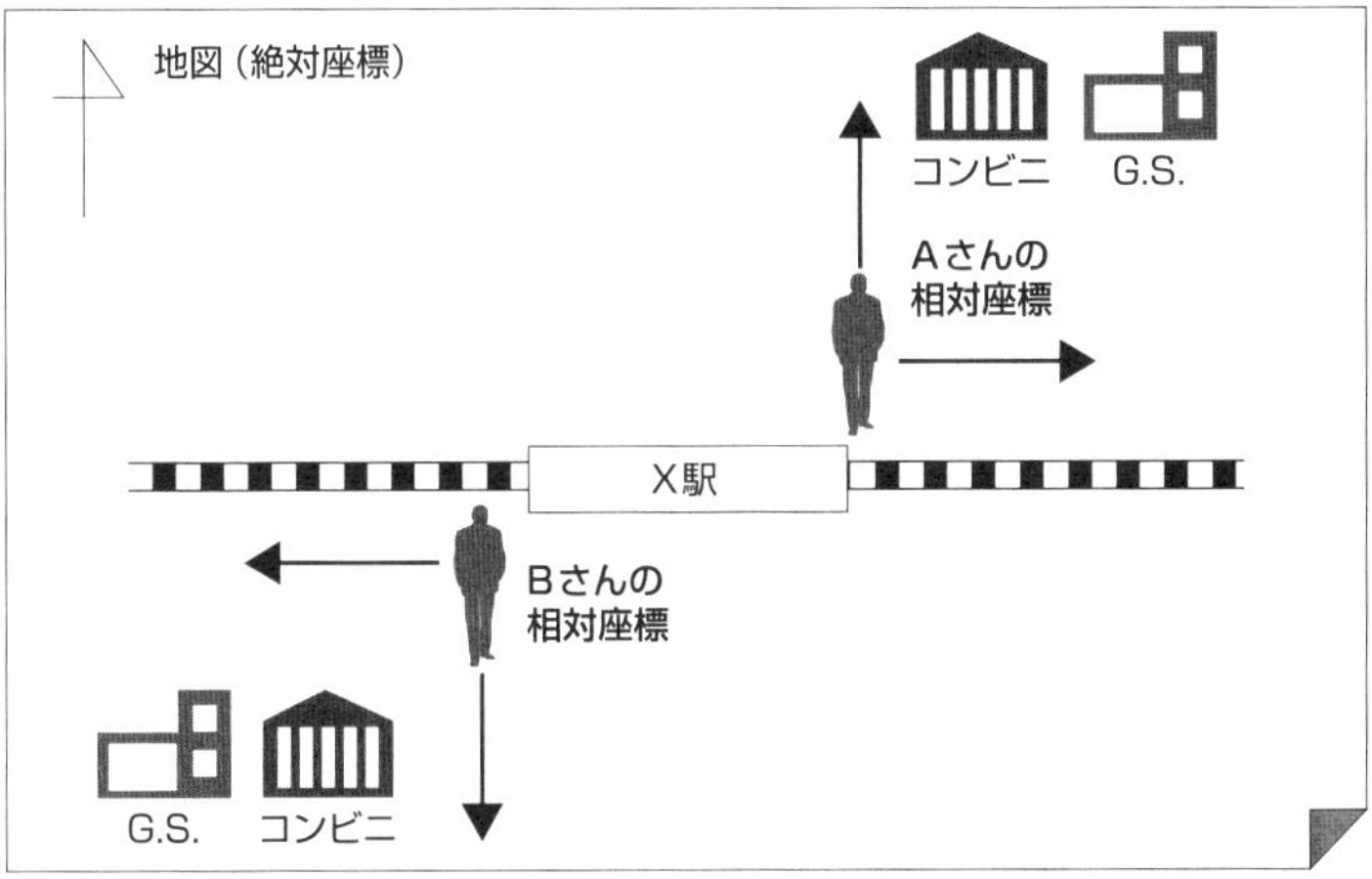

ていることの二点に起因する。おわかりであろうか。この例でいう二人を（誰もが誤解のない）地図上（つまり絶対座標）で見ているのがあなたで、AさんとBさんはお互いに異なる「相対座標」でものごとを見ているためにこうした誤解が生ずるのである。

この事例はきわめて単純な物理的な座標系の違いという例であったが、一般的な「ものの見方」に広げると、文化の違いやそれまでの経験の違いによる「精神的な座標系」の違いといったものも同様にコミュニケーションの障害となり、これも広い意味での座標系と考えることができる。

一つの顕著な例としてビジネスの世界でよく起きるのが、言葉の定義の違いである。表面上まったく同じ言葉が会社や部門によって実はまったく異なる定義で用いられていて、これがコミュニケーションの誤解の元になることがよくある。

例えば読者は「マーケティング」という言葉を聞いてどんな仕事を思い浮かべるだろうか？マーケティングという言葉は会社や部門によって千差万別のとらえ方をされる言葉である。「市場調査」や「顧客情報収集」から「販売企画」「顧客戦略」「プロモーション」等といった活動が十把ひとからげで「マーケティング」という言葉で語られることが多いので、言葉を十分に定義して、同じ言葉の定義で話していることを確認しないと誤解を招く。

あるいは「開発」という言葉はどうだろうか？ ソフトウェアやIT業界の人ならば「プログラミング」だと思うかもしれない。あるいは製造業の人ならば商品化のための「商品開発」全般だと思うかもしれないし、会社によっては製品開発の上流工程を「開発」と呼び、下流工程を「設計」と呼ぶところもある。こうしたバックグラウンドの違う人たちが「開発の人たちって○○だよね」というような会話をすると、しばらくしてから、お互いに違う対象の人について語っていることに気づくといったことが起きる（X駅の例でまったく異なる「コンビニ」をAさんとBさんが同じだと思ったのと同じ現象である）。これが座標系の違いの例である。これがいろいろな会社や部門の人たちと付き合い、様々なビジネスプロセスを経験すると、この世界での「絶対座標」が持てるようになり、いろいろな人の間の翻訳を一つの絶対座標をよりどころとしてコミュニケーションできるようになる。

元NHKアナウンサーの吉田たかよし氏は著書『できる人は地図思考』（日経BP出版セン

ター）の中で、ＮＨＫの新人アナウンス研修のことを書いている。二人一組になって説明役に架空の地図が渡されて、もう一人の聞き役に口頭で説明するというもので、これがいかに難しいものかを語っている。ここで一番難しかったものの一つが左右の方向の説明であり、研修を通じて学んだことが、「他人に情報を伝える時に、聞き手と視点を共有することに努力する」ことであったと吉田氏は同書の中で述べている。これなどはまさに相対座標で語ることのコミュニケーション上の障害、絶対座標で語ることの重要性を語っているのである。コミュニケーションのプロフェッショナルたるアナウンサーの新人研修でこうした内容が取り上げられていることを見ても、絶対座標で語ること、座標系を合わせることの重要性が理解できる。

個人の相対座標とは「暗黙の思い込み」

前項の例であげたような各個人の相対座標というのがまさにフレームワーク思考で克服しなければならない「思考の癖」あるいは「暗黙の思い込み」である。フレームワークで考えるということは、絶対座標、つまり万人が理解できる共通の座標系で考えることによって偏りの少ないものの考え方をし、また誤解のないコミュニケーションを可能にするということなのである。

適切なコミュニケーションに不可欠な「座標系の一致」

コミュニケーション上の誤解の大部分はこうした座標系の無意識な違いによって起こる。コミュニケーションの上手な人というのは、意識的あるいは無意識のうちにまず相手との座標系を合わせることを欠かさない（東口のAさんと西口のBさんとの例を思い出してほしい）。適切なコミュニケーションにまず必要なのは、コミュニケーションの相手同士が、「同じ視座と視点で」話していることをしつこいほど確認することなのである。

最近「図解すること」に関する書籍が多く発刊されているが、図解することがうまい人というのはコミュニケーションがうまい人である。その大きな理由の一つが、相手と同じ座標軸で話すことを意識しているということなのである。単に口頭で話すのと比べて、話している対象を図解すると、もし違う座標軸で話している場合にお互いが気がつく可能性が飛躍的に高くなり、適切なコミュニケーションが取りやすくなるというわけである。つまり、「同じ地図を見ながら」会話しているということである。逆にコミュニケーションが下手な人というのは勝手に自分の中で想定したものの見方で、相手の座標軸がどうなっているかなどまったく気にせずにしゃべり続けていることが多い。

同じことが会議の進め方にも言える。

コミュニケーションにおける座標系の重要性を認識している会議進行者というのは、会議のはじめに必ずその会議の位置づけと目的（つまり、座標系）を簡単にでも確認してから始めるのである。具体的には、全体スケジュールとその会議の位置付けの再確認、前回のおさらい、本日の目標着地点等について説明して、出席者の間の座標系を合わせるということを必ず実施してから会議を開始する。

これに対して未熟な進行者というのは、いきなり議題に入ってしまうために、出席者間の座標系が合っていない状況で会議を進行させてしまい、途中で参加者から「今日はどういう会議だったっけ？」等という疑問が出る羽目になって、結局途中でこの座標系を合わせるということを一からやり直す（ここまでのディスカッションはほとんど無駄）という非効率なことをやってしまうのである。第5章の仮説思考力での理由と併せて、「アジェンダ説明からすぐに議題に入ること」の危うさがおわかりいただけるだろうか。

ホワイトボードで座標系を合わせる

もう一つ「座標系を合わせてコミュニケーションを改善する」という例を挙げよう。何かの会議の中で、出席者の間で一つの話題に関する認識がどうも合っていないと全員が感じているときに、進行者なり出席者の誰かがホワイトボードに認識合わせのための何らかの説明用の図を描くと、それが共通の「会話の土俵」となって機能して各人の認識の違いが明確になり、その絵を中心にして自分の認識はそこが合っている、そこは違っているといった議論を重ねるうちに各人の認識がぴったり合ってくるといったことを経験したことがないだろうか？

この状況がまさに前述した「東口のAさんと西口のBさん」の構図とまったく一緒である。この中で重要な役割を果たしているのが、「ホワイトボードの絵」である。これは先の事例でいう

「地図」の一部、あるいは「太陽」であり、絶対座標上の共通のマイルストーンなのである。異なった座標系を統一するためには、このマイルストーンを有効に使って複数の座標系を重ね合わせるか、あるいは絶対座標を用いて語ることが重要になってくるのである。

「プロ」とは「その道の絶対座標」を持つ人のこと

ここまで簡単に誰もが共有できる座標系あるいは「絶対座標」で語ることが重要であると述べてきたが、絶対座標で語るためには、各々の世界で頭の中に絶対座標を持つことが必要であり、実はそれには長期にわたる経験と訓練が必要となる。絶対座標を理解しているという状態は、どんな相対座標の人が来てもそれをある絶対座標に「座標変換」あるいはマッピングして一つの座標系にできるということである。これができるようになると、自分の相対座標でしかものごとを見ることができない複数の人たちを一つの絶対座標軸上にマッピングして、「あなたはここ」「あなたはそこ」といった具合いにお互いの関係を明確にすることができる。どの世界でも、その道を極めた人、つまり「プロ」というのはこの絶対座標を自分の中に持っている。

具体例を挙げよう。音楽の世界で「絶対音感」というのがある。これはまさに音の高低における「絶対座標」そのものである。音楽の世界では、素人は相対的な音の高低というのはわかっても、それらを別々に聞いたときには相対的な関係がわからないが、ある音を単独で聞いたときにもそれは「この高さの音」と五線紙上（つまりこれが絶対座標系）にすぐにマッピングできるのが絶対座標を持ったプロということになる。料理の世界でも似たようなことが言える。ワインの世界のプロであるソムリエの例であるが、NHK番組の『プロフェッショナル～仕事の流儀～』の中でソムリエの佐藤陽一氏が「自分の頭の中にワインのマップがあって、すべてのワインをマップできる」という表現をしていた。これなども「絶対座標」を持ったプロのものの見方の例である。

どの道でもある程度のレベルに達した人はその道の「絶対座標」を持っており、相手の力量を一瞬にして見破る。「すごい人のすごさ」がわかり、「下手な人の下手さ」もわかるのが絶対座標を理解した達人である。下手な人には「上手な人がどのぐらい上手なのか」を理解することができない（例えば上手な人同士の比較ができない）のである。

スキー教室や英会話教室を考えてもよいだろう。一定レベル以上に達した人というのはどんな人のレベルもある座標軸上にマップすることができるのである。

「絶対座標を持っている」ことの有効性をおわかりいただけただろうか。

全体を高所から俯瞰する

ここまでは、フレームワーク思考が必要な理由、その背景としての「絶対座標」と「相対座標」および個人の思考の癖としての相対座標について述べてきた。

次に、具体的なフレームワーク思考のプロセスを説明する。先述の図6―1のフレームワーク思考のプロセスに従って、順番にその具体的な内容を見てみよう。まずフレームワークでものごとを考える上での前半のポイントは「全体を俯瞰する」である。

全体俯瞰の威力

地頭力の中でもこの全体俯瞰力の占める割合は大きい。「思考の癖を取り払う」あるいは「思い込みをなくす」というフレームワーク思考の思想を実現するためには、この第一ステップが最大のキーポイントだからである。これには、課題に着手するときには必ず「一歩引いて考えてみる習慣をつける」というのが有効である。自分自身の目線ではなくて、思いきり「上空から」見た客観的な視点で対象の課題の全体俯瞰をすることによって、自分が知らずに持っている偏ったものの見方を排除するのである。これはとりもなおさず、これまで述べてきた「絶対座標」のものの見方にできるだけ近づけるということである。

全体は一つだが部分は無限

なぜ全体を見ることが「絶対座標」で考えることになるのか？

それは全体といえば誰が考えても一つのものを指すのに対して、「部分」というのは無限の選び方があるために、その中でどの部分を選んだかによって、すでに選んだ人の思考の癖が無意識に出てしまうからである。もちろん、どこまでを全体とするかというのも実は複数の解釈があり得るが、逆に言うと誰もが誤解のない一つのものを共有できるレベルが全体像の定義である。例えば日本人同士が国内の話をするのであれば、（あえて世界全体でなく）「日本地図」を全体像とみなしてよい。

「部分」でなく全体像をとらえることの重要性は、前述の東口のAさんと西口のBさんのように部分だけしか見ていない人間同士のコミュニケーションがいかに難しいかを考えるとわかる。一つに定義できる全体像（絶対座標）から始めれば誤解がないが、部分から始めると多かれ少なかれ必ず話し手の座標系が反映されてしまい、これを共有していない相手に意図を伝えるのが困難なのである。

「ズームイン」の視点移動で考える

全体俯瞰している人としていない人の思考パターンで顕著に表れる違いが、視点の移動の仕方である。全体俯瞰している人は他人に説明するときも必ず誰もが共有している全体像から当該テーマにズームインして入ってくるために誤解が少ないが、全体俯瞰力が弱い人は、いきなり自分の視座・視点（相対座標）から説明を始めて、必要に迫られて思いついたように全体像に話を広げていく（ズームアウト）ので、初めて話を聞いた人にはどこの話をしているのかわからないことが多い。この「視点の移動の癖」というのはフェルミ推定の解答の仕方にも表れる。ズームイン型の視点を持つ人は全体を網羅的に押えてくるが、ズームアウト型の視点の人は自分のよく知っている部分をまず詳細化するという解答の癖がある。

思考実験として、「いまあなたが東京都知事選に立候補したとしたら何票取れるだろうか?」というフェルミ推定を考えてみてほしい（「自分という商品」の東京都における市場規模の推定と考えてみよう）。

あなたがまず自分の知人の数を考え出したとしたら、それがズームアウトの視点である。上空から自分を第三者的に見てみれば、「自分の知り合い」というのは、あくまでも可能性の一つ（結果として大部分になるかもしれないが）でしかない。網羅的に事象をとらえるなら、例えば東京都の人口→有権者→当日の投票者→浮動票→マイナー候補に投票する層→自分の政策やプロフィールに惹かれる人……のように考えるのが自然だろう。これが「ズームイン」の視点移動である。

なぜ「話が長い」と感じるのか

全体俯瞰が重要だというもう一つの例を挙げておこう。

「話が長い人」というのがいる。どんな人のことだろうか？　我々はどんな場合に「話が長い」と感じるのだろうか？

まず、これは絶対的な時間が長い短いという意味でないことはおわかりだろう。一時間でも短

図6-4　ズームアウトとズームインの比較

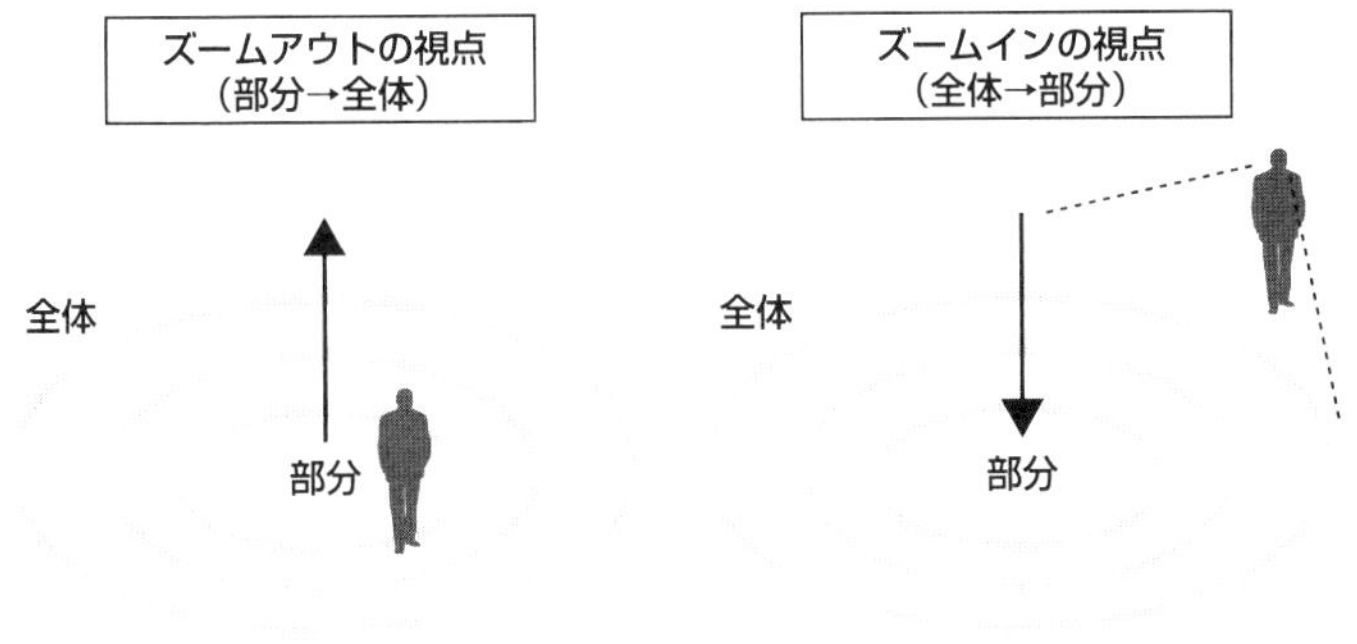

いと思うこともあれば、五分でも長いと感じることがあるのは日常で経験することである。

「話が長い」とは以下の三つのいずれか、あるいはそれらの組み合わせに分類できるのではないだろうか。第一は話の中身の問題で、「話がつまらない」、「わかりにくい」、「聞き手の興味に合っていない」あるいは「趣旨から脱線している」場合である。前章で述べたように、相手のことを考えない、一方的で自己中心的なコミュニケーションスタイルの場合に起きる状況である。つまらない、あるいは興味の持てない話というのは五分でも長く感じるものであるし、逆に面白い話は一時間聞いていてもちっとも長いと感じない。

第二は「所定の時間をオーバーする」ことである。同じ一〇分間の話でも予定が二〇分であれば短いと感じるが、もともとの予定が五分であれば長いと感じるであろう。

そして最後の要因として、「いつ終わるかわからない」

場合に聞き手は話が長いと感じるのではないか。

実はこの三点目の要因がフレームワーク思考力に関係するのである。どんな場合に聞き手が「いつ終わるかわからない」と感じるのか？　それは話の全体像が示されぬままに話がだらだらと進行する場合が多い。こうなると聞き手は「一体この話はどう展開していつ終わるのだろう……」と苛立つことになる。ではこう思われないためにはどうすればよいか？　それはまずはじめに話の全体像を示すことである。具体的には、全体のストーリーや結論をはじめに話してから個別のことを詳細に説明するとか（こうすれば聞き手は自分の最も聞きたいところを「○○の部分をもっと細かく教えてくれない？」とか「××の部分ははしょってもいいよ」とかを先に指摘できる）、「今日はお話しすることが二つあります。AとBです」などと先に項目を宣言するとか、「五分間時間を下さい」等と大体の時間を先に示してしまうのである。全体像で考える人というのは、こうした会話のパターンを持っている人がほとんどである。

もちろんこういう会話のスタイルは、すべての場面で有効なわけではない。きわめて話術の巧い人は「どう展開するかわからない」のを逆に利用して聞き手を引っ張り込むという高等テクニックを駆使する場合もある（コメディアンが用いる典型的なパターンの一つである）。ここで述べたのは、例えばビジネスの場において、時間を制約された人たちの場合での「内容やメッセージを伝達する」ことに重きを置いた会話の場合においてである。

最適の切り口で切断する

全体を俯瞰した後のステップは、俯瞰した対象の全体を「最適の切り口で切断する」ということである。これはイメージ的に言うと、対象とする課題が最も顕著に見えるような（概念上の）断面を選択するということである。

切り口の最適の選択は経験から決まる「アート」

ここでの最適な切り口の選択というのは、そのために特に公式や決まった正解があるわけではなく、経験や試行錯誤からくる「アート」である。ただし、ここがフレームワーク思考の肝の部分の一つであり、切り口の選択の仕方で次のステップの分類の成否が決まってくるのである。いい切り口とは、対象の特徴を最適にとらえることができるような視座・視点（座標系）のことである。電柱の例で言えば、「単位面積当たりの電柱本数」「単位世帯当たりの電柱本数」といったものの見方、分析の切り口がこれに相当する。

フレームワークには「死角」が存在する

フレームワークによる分類は、全体の切断の仕方、言い換えれば切断の「座標軸」の選び方に

図6-5 「切り口」選択のイメージ

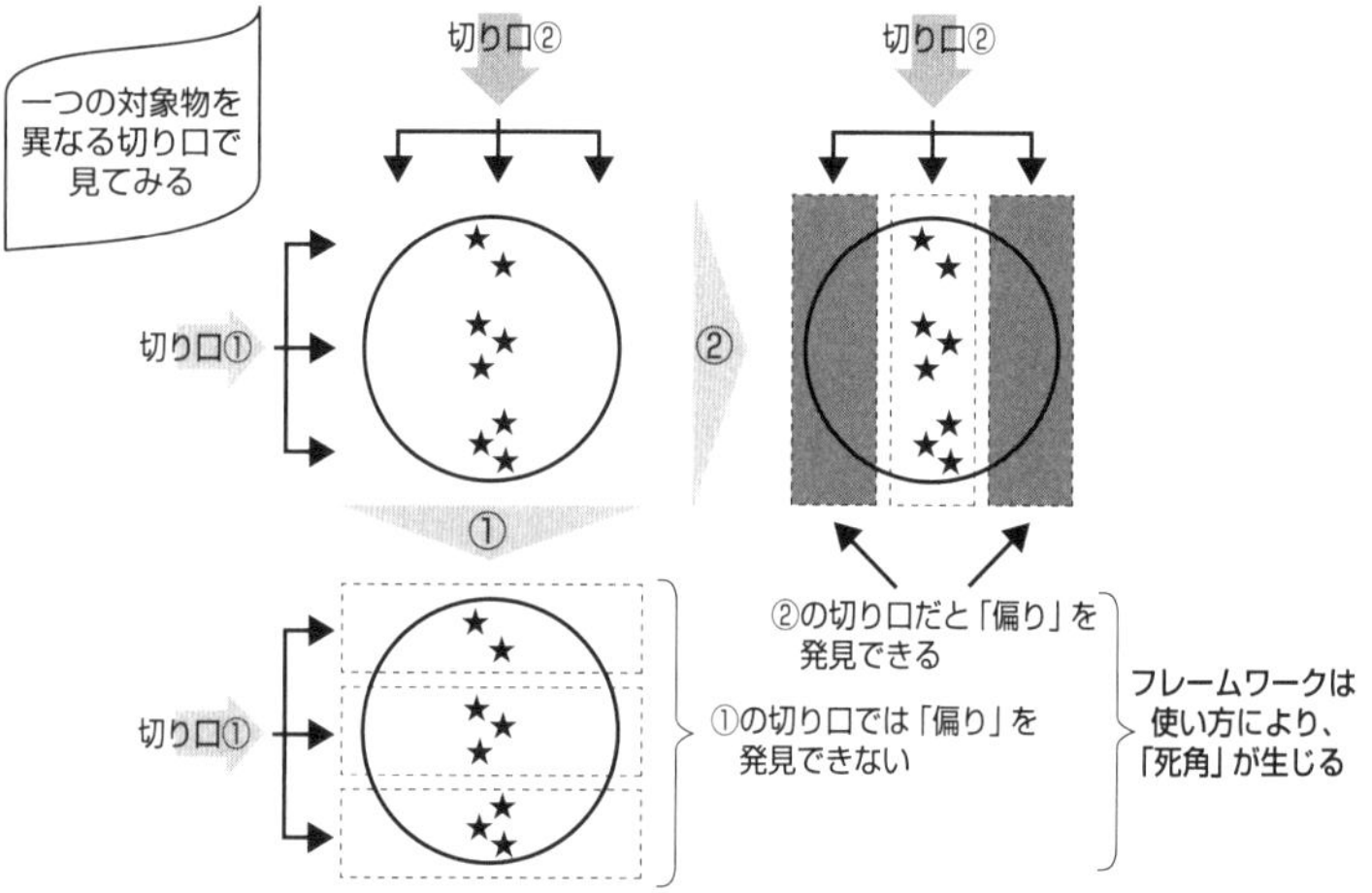

一つの対象物を
異なる切り口で
見てみる
切り口②
切り口②
切り口①
②
①
切り口①
②の切り口だと「偏り」を
発見できる
①の切り口では「偏り」を
発見できない
フレームワークは
使い方により、
「死角」が生じる

よって左右される。ということはフレームワークを選択するということそのものに思考の癖が反映され、思考が固定化してしまって、ある観点からは抜け漏れをチェックしたつもりでも、まったく考えの及ばなかった視点から見ると抜け漏れが見つかることもありうるのである。

具体的なイメージを見てみよう。図6－5を見てほしい。

これはフレームワーク思考における「切り口の選択」において、思考の偏りを発見できる場合と発見できない場合があることを示した図である。つまり、フレームワークを考える際には、切り口の選択によって抜け漏れが発見できたりできなかったりすることがあるのである。同様に一般の問題解決においても最適の切り口を見つけることが最大の要となることが多い（電柱の話を思い出してほしい）。

ただし、先に述べたように、この切り口の選択というのは公式があるわけではなく、経験や場数によって最適な選択ができていく「アート」の世界であるために、フレームワークを使ったことによってかえって効率が落ちないようにするような注意が必要である。

分類とは「足し算の分解」

次のステップは、俯瞰した全体像を前のプロセスで選択した切り口で「分類」することである。切り口の選択と分類とは表裏一体の関係で、切り口を選択するのと同時にその分類方法が決まっていることになる。分類というのは、「特性に応じた場合分け」ということである。電柱の事例でいえば、全体を「市街地」と「郊外」に場合分けしたことを思い出してほしい。これらの分類した結果はすべて「足し算」するともとの全体にもどらなければならないことから、「足し算の分解」と呼ぶこともできる。

「もれなくダブりなく」（MECE）が原則

全体を分類する際に最も注意すべきこと、それは全体を「もれなくダブりなく」分解することである。これはＭＥＣＥ（Mutually Exclusive Collectively Exhaustive）とも呼ばれ、論理思考

図6-6　MECEと粒度の統一

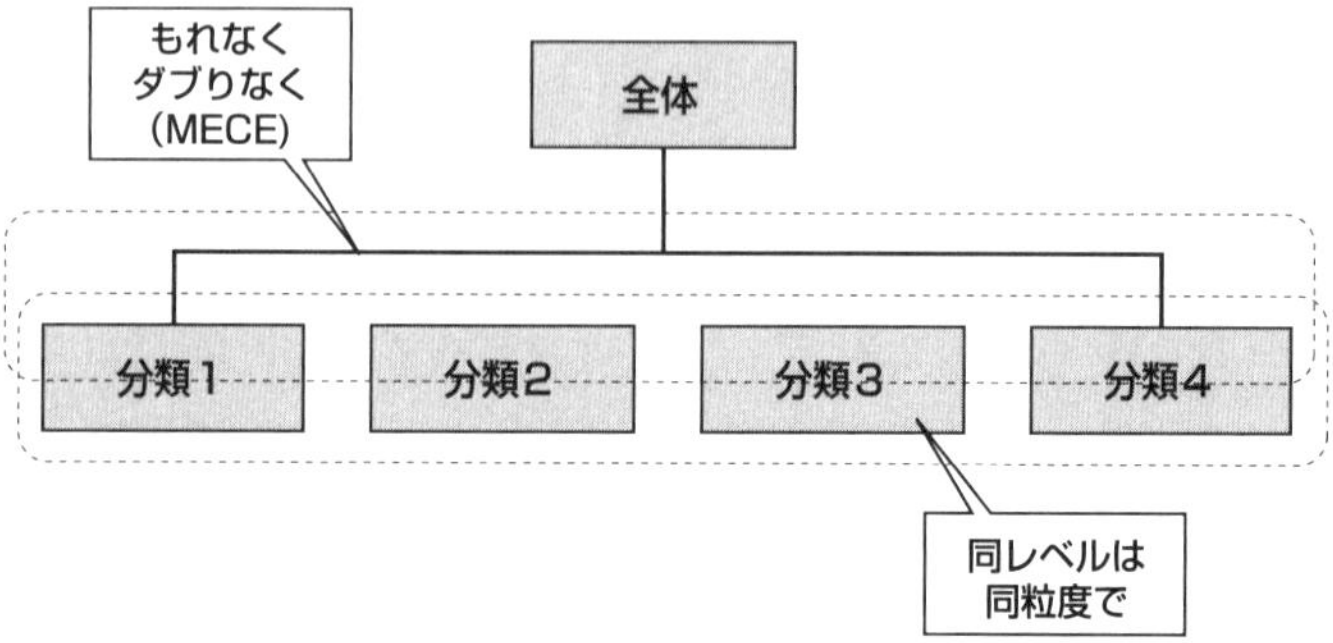

をする際には必須の概念である。

なぜもれなくダブりなく分けることが重要なのであろうか。逆にいえばもれやダブりがあるとどんな不都合が生じるのだろうか？

はじめの分類にもれやダブりがある場合、その後に紐付く作業が、ダブりがあると「どっちに入れる」かで悩むことになるとともに重複作業が発生し、もれがあると、それが後になって発見されるたびに追加作業が発生して非効率になるとともに、「本当にこれですべてか」という後戻りのリスクと常に戦い続けなければならない。MECEの保証されたフレームワークを用いればこれを回避できるのだ。

同レベルの「粒度」を合わせる

MECEであることと併せて分類時に留意すべきこととして、同じレベルの粒度、あるいは概念の大きさの程度を合わせるということが挙げられる。これはM

ＥＣＥであることと、ある意味表裏一体のことを言っているのであるが、「分類」というのは基本的に同列のものを並べる必要があるので、言葉や概念のレベルの大きさが合っていることが重要になる（そうでないと「足し算」ができない）。

狭義のフレームワークツールの活用

この「分類」という行為をスムーズに行い、「もれなくダブりない」箱のセットを用意するためのツールが狭義のフレームワークである。分類のための箱を先に用意するのがフレームワークであると述べたが、実はこの分類のための「もれなくダブりない」箱の集合を毎回新たに定義するというのは非常に難しい。そこでよく利用されるのが、〝３Ｃ〟(Customer, Company, Competitor)や〝４Ｐ〟(Product, Price, Place, Promotion)といった世の中で使い慣らされたフレームワークである。これは「箱のセット」をもれなくダブりなく目的に合わせて活用できるように、最初から用意したものなのである。こうしたフレームワークをツールとしていくつか持っていると、もれなくダブりのないアイデア抽出を実施したり、様々な意見を集約したりといった場合に非常に便利である。

その他にも様々なフレームワークが存在する。図６−７を見てほしい。これは分類のための主なフレームワークの例である。ここでは以下の五つのタイプに分類して概要を説明する。

図6-7　フレームワークのタイプ

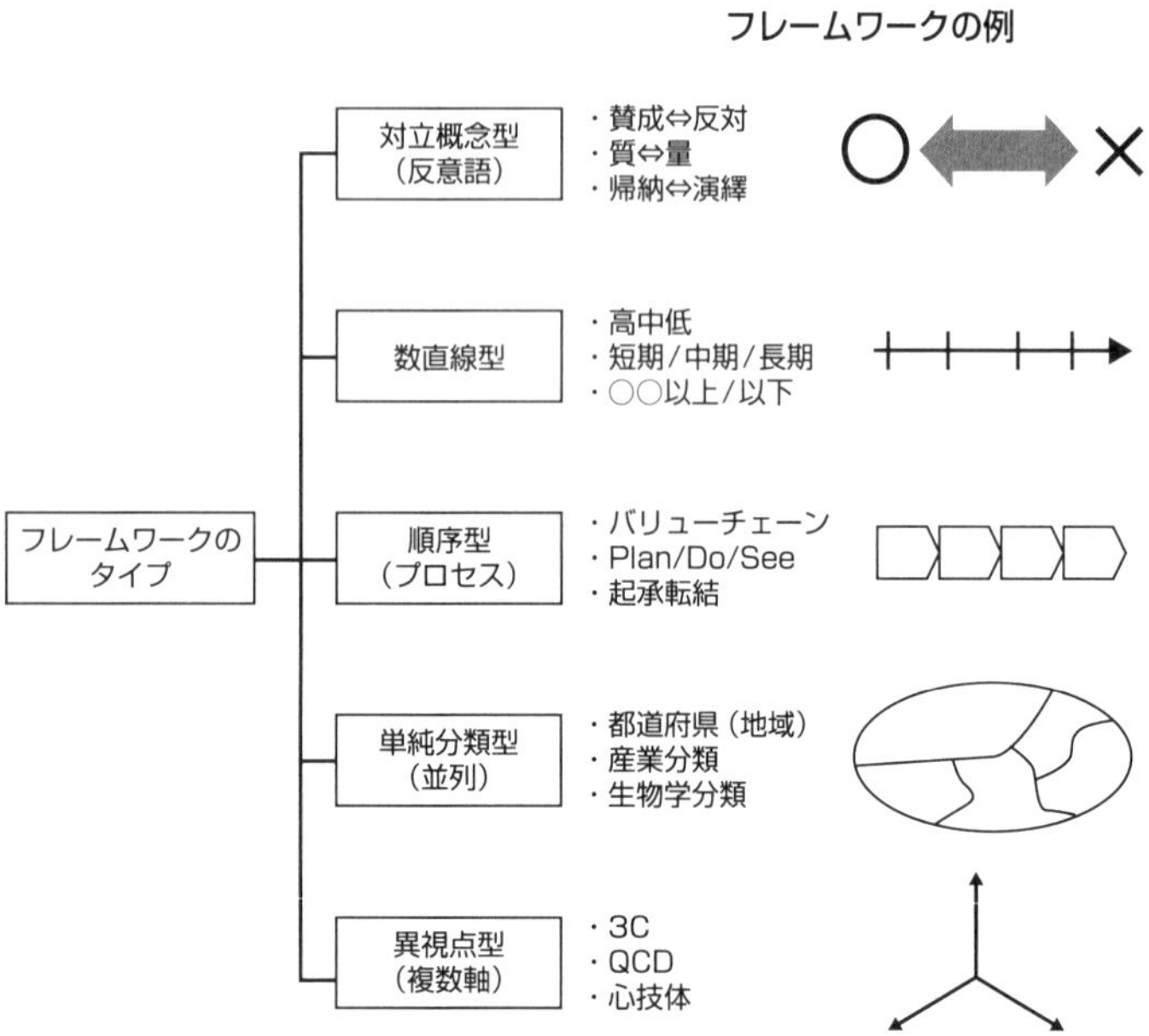

一番目は「対立概念型」である。一番簡単なもれなくダブりないフレームワークとは何か？　それは「Aである」か「Aでない（Aの反対である）」かという二分割で、これが対立概念である。例えば「内」「外」、「賛成」「反対」、「帰納」「演繹」といった、相対する概念に二分すれば基本的にもれなくダブりがない分類ができる。

二番目は「数直線型」とでも言えるもので、一つの尺度をいくつかの程度で区切る。例えば「大」「中」「小」、「短」「中」「長」（これらはいずれもしきい値の基準を明確にする必要があるが)、あるいは「○○未満」「○○以上△△未満」「△△以上」といったようなものである。

三番目は「順序型」とでも呼べるもので、順次的なプロセスに従った、例えばPlan/Do/See、や企業活動のプロセス(バリューチェーン:商品開発/設計/生産/販売/保守サービス……)といったものである。

四番目は複数の並行な選択肢を並べた「単純分類型」で、例としては産業分類(金融業/製造業/サービス業……)や生物学分類(哺乳類/爬虫類/鳥類……)等が挙げられる。

そして最後の五番目が複数の視点や座標軸によって分類する「異視点型」である。例としては先の3Cや製造業でよく用いられるQCD(品質、コスト、納期)、等が挙げられる。この「異視点型」がフレームワークとしては、選択する難易度も最も高い代わりにうまい視点、切り口が見つかると威力を発揮するタイプでもある。

こういったフレームワークというのは、一般に思考パターンの異なる複数の人間が同じ土俵で話せるための「白地図」のようなものだと思えばよい。十分に活用すれば大きな武器になる。

KJ法の限界

読者はアイデア抽出のためのブレーンストーミング等のときにKJ法というのを使った経験があるだろうか。これはグループ討議において各自のアイデアをポストイットに書き込む等により多数抽出した後にそれを類似のグループに分類して集約していくという手法である。例えば、新製品のアイデアや職場改善のテーマ抽出のときに、多数のアイデアを抽出し、分類していくような場合に用いられ、手軽に適用できてそれなりの効果を上げられるツールとして筆者も頻繁に活用している。

ただし、このＫＪ法の使用に関しては注意すべき点がある。ＫＪ法のメリットとして、自由なアイデアを多数抽出できる、分類によってそれらを整理できるということが挙げられる反面、注意すべき制約として（ボトムアップ的アプローチであるために）「思考の癖から脱却できず、完全に斬新な視点でのアイデアを抽出しにくい」ことが挙げられる。ＫＪ法では「アイデアを出してから分類を考える」というアプローチであるために、これまでと違った切り口でのアイデア抽出や、視点の抜けもれのチェックがやりにくく、普段思っていることの延長のアイデアの域を出られないという限界があるのである。

「箱を別に考える」のがフレームワーク思考

これまでの例でおわかりのように、フレームワークで考えるということは、項目を抽出した後にその項目に従って分類用の箱を考えるのではなく、「箱を別に考える」ということである。分類結果から箱、つまり分類の集計単位を考えると、どうしても思考の癖がそのまま反映されてしまい、もれがあって粒度の合わない分類になってしまうのだ。

「その他」を作ったり、安易に「改良」してはいけない

また、分類をするときに作ってはいけない箱がある。それは「その他」という箱である。これは一見「先に箱を用意している」ように見えるかもしれないが、実はそうではない。「その他」という箱は確かに箱には違いないが、これはこの分類はＭＥＣＥでないことを示す象徴なのだ。それはなぜか？　確かに「その他」を入れれば他に入らないものがあれば必ずここに入るという点での「網羅性」は確保できるだろう。ただし、ここでこれ以外に用意された箱というのは、単なる「思いつき」で選ばれたものである可能性が非常に高い。なぜならきちんとした分類の元である軸で切断された断面であれば「その他」という箱自身が登場することがありえないからである。「その他」とはある意味でフレームワーク思考における思考停止の兆候であるのだ。

また、よく既存のフレームワークを流用して、それに項目を加えたり減らしたりして「改良」している使い方を見かけることがある。ところがこれは基本的に誤った使い方である。あるいは元のフレームワークに欠陥があったかのどちらかである。なぜならフレームワークというのは基本的に「もれなくダブりない」ものであるからである。フレームワークに項目を追加することができるとすれば、それはもれがあったことを意味する。逆に減らしても「もれない」ことが担保されるとすれば、それはもともとダブりがあったということである。

ただし、フレームワークを適用する環境（土俵）がまったく変わる場合には許容される場合がある。しかしながらこれらはあくまで例外的な状況であって、よほどの上級者でない限り、フ

レームワークは既存のものをそのまま使うのが鉄則である。

因数分解とは「掛け算の分解」

続いてのステップが因数分解である。これは、一見まとまって見える一つの事象を構成要素に分解し、その要素ごとのメカニズムを解明して問題解決を図っていくというプロセスである。全体としては複雑に見える事象も、一つ一つの構成要素に分解してみると単純な事象に分解できることが多い。第3章で見た「電柱」の事例でもおわかりいただけるであろう。

一見途方もなく算出が複雑そうで途方に暮れてしまいそうな電柱の本数も例えば「単位面積当たりの本数」×「面積」、あるいは「単位世帯当たりの本数」×「世帯数」という因数分解を試みれば一つ一つの要素は何とか推定が可能なものとなりうるという例である（あるいはこれらの要素をさらに因数分解して考えるというのもフェルミ推定の例題で見たとおりである）。

こうした因数分解を用いて、全体として一つに見えている対象要素を複数の構成要素に分解することによって、対象要素に関する因果関係をより深掘りして何がキーとなる要因か、どこが本当のボトルネックになっているか、あるいは何をするとどういう効果が表れるかどうかといった分析が可能になるのだ。

ビジネス指標分析への因数分解の応用

因数分解のビジネスへの応用例として、「売上拡大」というテーマに対しての施策を考えてみよう。単に「売上げ」を一つのものとして考えていると、とにかく営業マンに発破をかけるとか広告に投資するといった単純な施策ぐらいしか思いつかないものが、例えば以下のように売上げを四つの因数に「因数分解」して個別の要因を分析してみれば、各因数別の施策（付加価値に合わせて定価を引き上げる、割引を最小化する、市場を活性化させて市場そのものを大きくする、競合のシェアを奪って市場シェアを上げる）を別々に考えてみることができるし、そのために有効な施策を深掘りすることも可能になるだろう。

売上げ　＝　売価　×　数量
　　　　＝（定価　×（1　－　割引率））×（市場規模　×　市場シェア）

（現実には業界や商品特性に応じてこれらをさらに因数分解していくと、状況に応じた適切な変数を抽出できることも多い）

同様な因数分解と因数別の分析を財務指標でも行うことができる。

例えばＲＯＥ（株主資本利益率）に関して

ROE　＝（当期純利益／株主資本）

＝（当期純利益／売上高）×（売上高／総資産）×（総資産／株主資本）

＝売上高当期純利益率　×　総資産回転率　×　財務レバレッジ

こうした分解によって、経営指標としてのROEを向上させるためには、これら三つの指標のどれかに対しての改善施策を実行していく必要があることがわかり、全体を漠然ととらえたままより、より重要となっている要因に対してピンポイントで具体的かつ有効な対策を打つことが可能になる。あるいは投資対象の会社の企業分析にも適用できる。

業務プロセス分析も因数分解思考で

さらに因数分解のビジネスへの応用として、「順次的なプロセスを経ながらアウトプットの量が変化していく」事象の分析が挙げられる。

図6―8を見てほしい。これは、「ある入力から一定のスクリーニングプロセスを経て最終出力に至る」という全体過程の因数分解の例を示している。全体としての転換率を向上させるためには、プロセスをさらにサブプロセスに分解して、各々の、あるいは一番インパクトの大きいサブプロセスの転換率（出力／入力）を向上させることが有効で、そうした施策を考える上でこういった考え方が有効である。

図6-8　因数分解のイメージ図

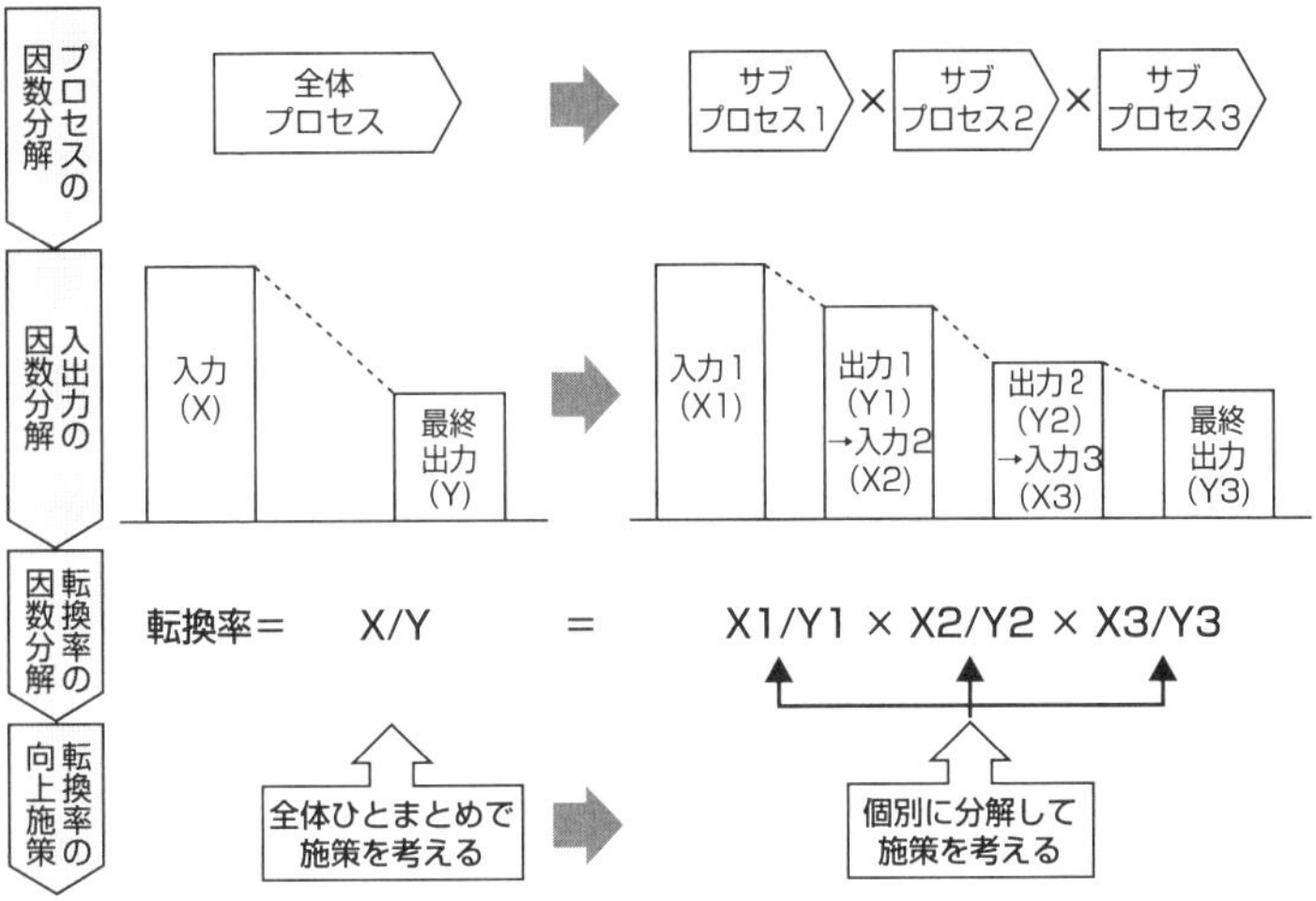

例えば営業プロセスの商談パイプラインの分析に用いることができる。例として自動車の販売を思い浮かべてみてほしい。営業プロセスというのは、全体市場（潜在ユーザー全体）からの潜在的な顧客の発掘から始まり、それをスクリーニングした対象訪問顧客リスト→訪問可能顧客リスト→購買見込み顧客リスト→……といった形で数字が変化し、各々の移行確率を上げていくことが重要になるが、まずは各サブプロセスの移行確率のどこが全体のボトルネックになっているのか、あるいはプロセスごとの打ち手も大きく異なっている可能性があり、プロセス全体を十把ひとからげに扱うよりもはるかに有効に事象の分析ができたり打ち手の効果を高めることができる。

このスクリーニングプロセスの構造というのは応用範囲が広い。「複数のプロセスを経ながらある割合で出力が絞り込まれながら変化していく」というようなプロセスには何にでも応用が可能なので、例えば人事採用のプロセス（一次書類選考、二次面接試験等）やミス○○コンテストのようなスクリーニングプロセスには何にでも適用ができ、どこの勝率を上げていけば最終勝率を上げることが可能かといった分析にも用いることができる。

全体最適をボトルネックから考える

フレームワーク思考力の締めくくりが、前ステップまでで分解した各要素を再び全体俯瞰して、全体の中でのボトルネックを考えることである。例えば大きな組織にいると、自分の役割が全体プロセスあるいは「バリューチェーン」という、「組織全体が何らかのインプットから付加価値を生み出して最終アウトプットに変える」というプロセスのほんの一部分を担当して無意識のうちに全体が見えなくなっているという現象はよく起きる。

全体パフォーマンスはボトルネックで決まる

フェルミ推定で見たように、全体パフォーマンスの精度、あるいはアウトプットの質や量というものはボトルネックのパフォーマンスで決定される。TOC（制約理論）というのもこれと同じ発想であり、全体のボトルネックを発見し、そこを改善することによって全体パフォーマンスを改善し、それ以外の部分に取り組むのは基本的に労力はかかるが全体に影響ないことと見る考え方である。

ここまでのステップで、はじめは全体像をつかんで分類や分析というマクロからミクロへの分解に入ってきたものの、次第に詳細に入っていくにしたがって再び全体像が見えなくなって枝葉にこだわってしまうことを防ぐために再度全体像を見てみることが必要になってくる。フェルミ推定の事例で考えてみよう。「電柱の本数」を数えようとスタートした分析作業であるが、例えばその中で都会の代表例としての電柱間隔を、どこかの地域でサンプル的に数え始めたとたんにその作業が目的化してしまい、詳細に陥ってしまうということが考えられる。

そういった場面で常に考えておかなければならないのは、最終結果の精度を決定するのは「一番精度が低い」部分であり、それ以外のところはいくら詳細に落としても全体の精度向上には直接的につながらないということである。全体を見ていないと自分のわかるところ、あるいはできるところのみに集中するあまりに全体のアウトプットの精度を考慮しないで一部分だけに労力をかけてしまうということがある。大きな組織に属していると、こうした当たり前のことを忘れてしまいがちであるので、常にアウトプットとボトルネックとの関連というのを頭に入れておく必要がある。フェルミ推定の考え方を常に意識していれば、この考え方を常に忘れずにいることも容易になる。

フレームワーク思考の留意事項

以上、フレームワーク思考の有効性と具体的な方法について述べてきた。その「威力」についでは十分に理解してもらったと思うが、そのフレームワーク思考にも注意すべきポイントやリスクがある。

フレームワーク思考は「専制的」か?

もう一つフレームワーク使用時の注意点を述べておこう。

前述のＫＪ法の発案者である川喜田二郎氏はその著書『発想法』(中公新書)の中で、ブレーンストーミング等で抽出されたアイデアを「大分け」から「小分け」にするか、「小分け」から「大分け」にもっていくかということに関して、本章でフレームワークのアプローチとして述べた「大分け」から「小分け」にする方法を「専制的」として以下のように批判している。

「この点については、大分けから小分けにもっていくのは全くもって邪道である。かならず小分けから大分けに進まなければならないのである。」……中略……(誰かが大分けの仕方を決めてから分類するアプローチに関して)「大分けから小分けへと進めようという我のあるところには、ヒットラーやスターリンの心がある。つまり『自分の考え方がいちばん正しい』ときめてかかって、『民衆はおれのとおりに従え』というのとおなじである。」

この指摘のように、はじめから分類の箱の構造を決めてからそれにしたがってアイデアを抽出するというのは、ある「切り口」にしたがったアイデアしか抽出できなくなるというリスクがあり、その意味で、選ばれたフレームワークが「専制的」となってしまうというデメリットがあることは否めない。さりとて、完全に「ボトムアップ的に出てきたアイデアを分類する」という手法では、「抜けもれ」が出たり、粒度が合わなくなってしまうという弱点があることは前述のとおりである。したがって、こうしたブレーンストーミングの際におすすめするプロセスというのは、まずはフリーにアイデアを抽出するのと並行してある程度アイデアが出揃った段階で最適のフレームワークを選択するのである。そうすれば、「専制的な考え方」を強制することなくアイデアを抽出するとともにその「抜けもれ」のチェックを行うことが可能となるのである。

第6章のまとめ

1．フレームワーク思考の目的は、「思考の癖を取り払って」①コミュニケーションを効率的に進めるとともに、②ゼロベースで斬新な発想を生み出すことである。

2．人はみな独自の経験や知識に裏付けられた独自のものの見方（相対座標）を持っており、

コミュニケーションに強い影響を与えている。

3．フレームワークで考えるためには、個人個人の相対座標と誰もが共通に考えられる絶対座標を意識する必要がある。

4．フレームワーク思考力は大きく全体俯瞰力と分解力に分けられる。

5．フレームワーク思考力の全体プロセスは、①全体俯瞰、②「切り口」の選択、③分類、④因数分解、⑤全体再俯瞰とボトルネックの発見である。

6．フレームワーク思考のリスクは、先に枠を固定することによる思考そのものの固定化である。

第7章

「単純に考える」抽象化思考力

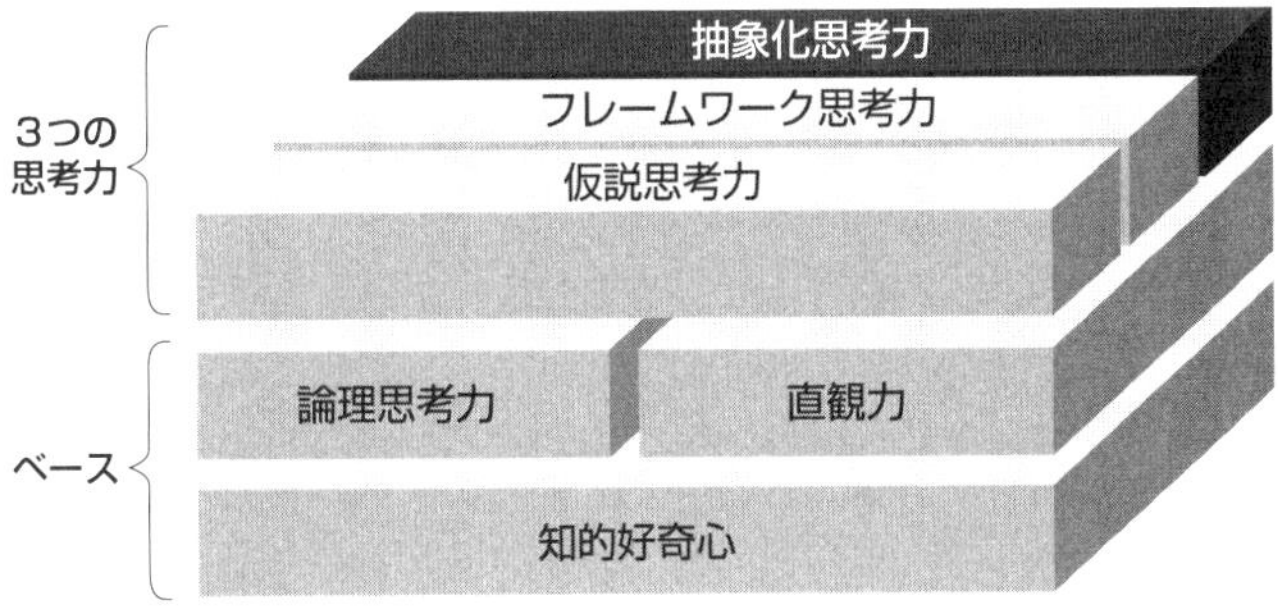

抽象化思考力のポイント

三つの思考能力の締めくくりとして、「単純に考える」抽象化思考力について、その意味するところ、効用、応用例等について具体的に説明する。

第3章で述べた抽象化思考力のポイントを再整理しておこう。

抽象化思考とは、対象の最大の特徴を抽出して「単純化」「モデル化」した後に一般解を導き出して、それを再び具体化して個別解を導く思考パターンのことである（図7─1）。

また抽象化に重要なキーワードは三つで、①モデル化、②枝葉の切り捨て、③アナロジー（類推：ある事象を類似のものから説明すること）であった。

抽象化とは「一を聞いて十を知ること」

そもそも抽象化して考えることがなぜ必要なのか。それは「限られた知識の応用範囲を飛躍的に広げる」ためである。「一を聞いて十を知る」ためと言ってもよい。抽象化の概念が最も顕著に活用されるのが、物理や数学等の自然科学の分野である。我々の身の回りでも、一見違うものに対しても本質を見きわめて単純化すれば同一の原理を多数のものに適用して解を導くこ

図7-1　抽象化思考のプロセス

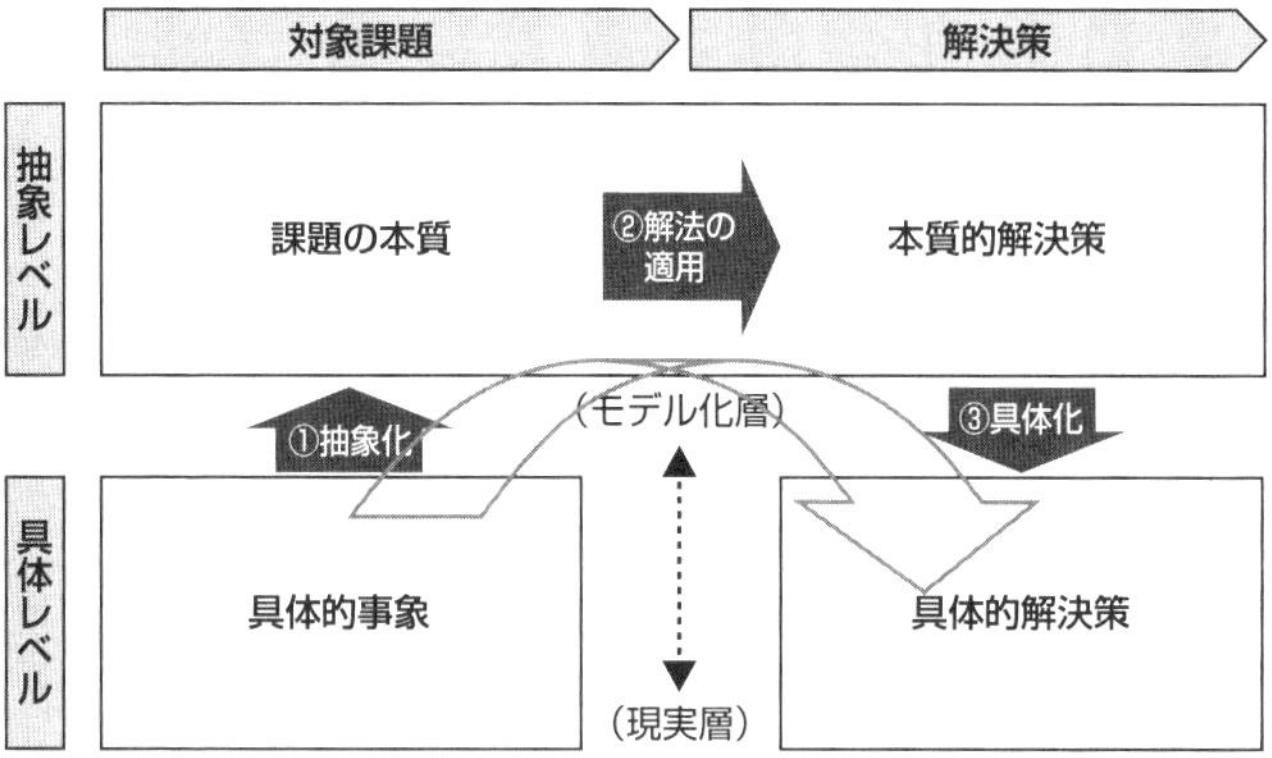

とが可能になるのである。

「モデル化」「枝葉の切り捨て」「アナロジー」のビジネスや日常生活への適用範囲はきわめて広い。モデル化・一般化して考えることの苦手な人は自分の経験のみに依存するあまり「自分の会社（業界）は特別だ」という意識が強く、他社や他業界、あるいは別の世界でやっていることをアナロジーとして自分の業務に取り入れるという発想ができない。そのために現状の延長でのみものごとを考えてしまい、斬新な発想をすることが苦手である。また「枝葉を切り捨てる」ことができない人はついつい最終結果への影響度を度外視して例外事項に固執して完璧主義に陥り、何をするにも時間がかかってしまう。

共通の性質から応用力を広げる

「共通点を探す」あるいは「パターン認識する」

というのは、「考える」という行為の中でも最も基本かつ重要といえる能力の一つである。

我々の身の回りに起きている課題を一つ一つ個別に解いていたらいくら時間があっても足りないし、過去の類似の経験を生かすこともできない。過去に行った解法や公式を一般化しておいて、個別の事象をその一般化されたモデルに当てはめていけば、限りない応用が可能になるのである。これは数学や物理学における「公式を当てはめる」というのと同じである。公式を当てはめるためには、そのためのパターンを個別の事象の中から見出して適用していくということが必要になってくる。

抽象化思考のプロセスは「逆U字型」

抽象化思考のプロセスの詳細を整理しておこう。もう一度図7―1を見てほしい。一番目のプロセスが抽象化・モデル化である。これは課題の対象とする事象の特徴を抽出して一般化し、取り扱いが簡単な形にすることである。そして次のステップが抽象化したモデルにおける解の導出である。ここで、図7―1でいう「下のレベル」（具体レベル）ではなく、あえて一度「上のレベル」（抽象レベル）に引き上げてから解を導くのはなぜか？

基本的な理由は「上のレベル」で解くことによって格段に解を導く可能性が広がるのである。これには大きく三つのパターンが考えられる。第一にモデル化して事象をシンプルにすることによって解が導きやすくなることが挙げられる。第3章で紹介したフェルミ推定の電柱の例題がこのパターンである。二番目のパターンは、抽象化することによって、すでに存在している公式や法則が使えるようになるということである。物理学や工学における、実世界での事象を単純化して公式をあてはめて解を導くというのが典型的な事例である。そして三番目が、公式化まではされていないがすでに類似の経験をした先人の知恵を利用することである。一般的に我々が直面する課題というのは、すでに他の人が経験ずみであることが多い。他の世界の人であったり、昔の人であったり、海外の人であったりと利用可能な知識・知恵はいくらでも世の中に転がっている。ただし、そのものずばりという形で存在していることは少ないので、抽象化・一般化することによって適用可能な形に咀嚼する必要があるのである。そうすれば先人の名言やことわざといったものまでが利用可能になってくるのだ。

例えば「急がば回れ」ということわざをこれまで延べ何億という人が活用してきただろう。「急ぐ」とか「回り道をする」という言葉は一般化されているからどんな人にもどんな場合にも適用でき、数々の問題解決に役立ってきたにちがいない。ただし、実際に「急いでいる」課題の状況は、「一週間先の投資の意思決定を急いでいる」のかもしれないし、「一〇分後の友人との待ち合わせに間に合うよう急いでいる」のかもしれない。同様に「回り道をする」という解決策の方法も適用する人によって千差万別なのだ。

そして、プロセスの最後がこうして「上のレベル」で導かれた解を再び具体化して我々がもともと求めていた解に導くことである。つまり抽象化プロセスというのは、一度対象物を①「二階」

（つまり抽象レベル）に上げて、②二階にある「道具」で解決し、③再び「一階」（具体レベル）に下ろしてくる」という三ステップのプロセスによるものである。二階にある道具とは、これまで先人が積み上げた法則や知識であり、これを利用することによって様々な問題解決が図れるようになるのである。

このように、抽象化思考プロセスは「逆U字型」の三ステップになっている。第3章のフェルミ推定の電柱の例題で具体的にこのプロセスを見てみよう。図7–2を見てほしい。

この例題を具体レベルで（一階で）解こうとするというのは、すべての電柱を一本一本数え上げることに他ならない。そこでこの場合は電柱の配置を一度モデル化することによって抽象レベルに引き上げて、そこで簡略化されたモデルを用いて計算を実行し、そこで算出した結果をさらに電柱の本数として具体的に認識し直して解答を算出するという手順を踏んだのである。

本質に迫るための抽象化

抽象化するもう一つの重要な意義は、表層的でなく根本的、本質的なレベルでの問題解決が図れるという点である。単に表層的な解決というのはいわゆる「もぐらたたき」的な解決で、表に見えていることをつぶしていくだけだが、抽象化することによってより深い、本質的な解決を図れるので、汎用的・永続的な解を導くことができる。

以下に具体的な例を挙げよう。

図7-2　抽象化思考のフェルミ推定への適用例

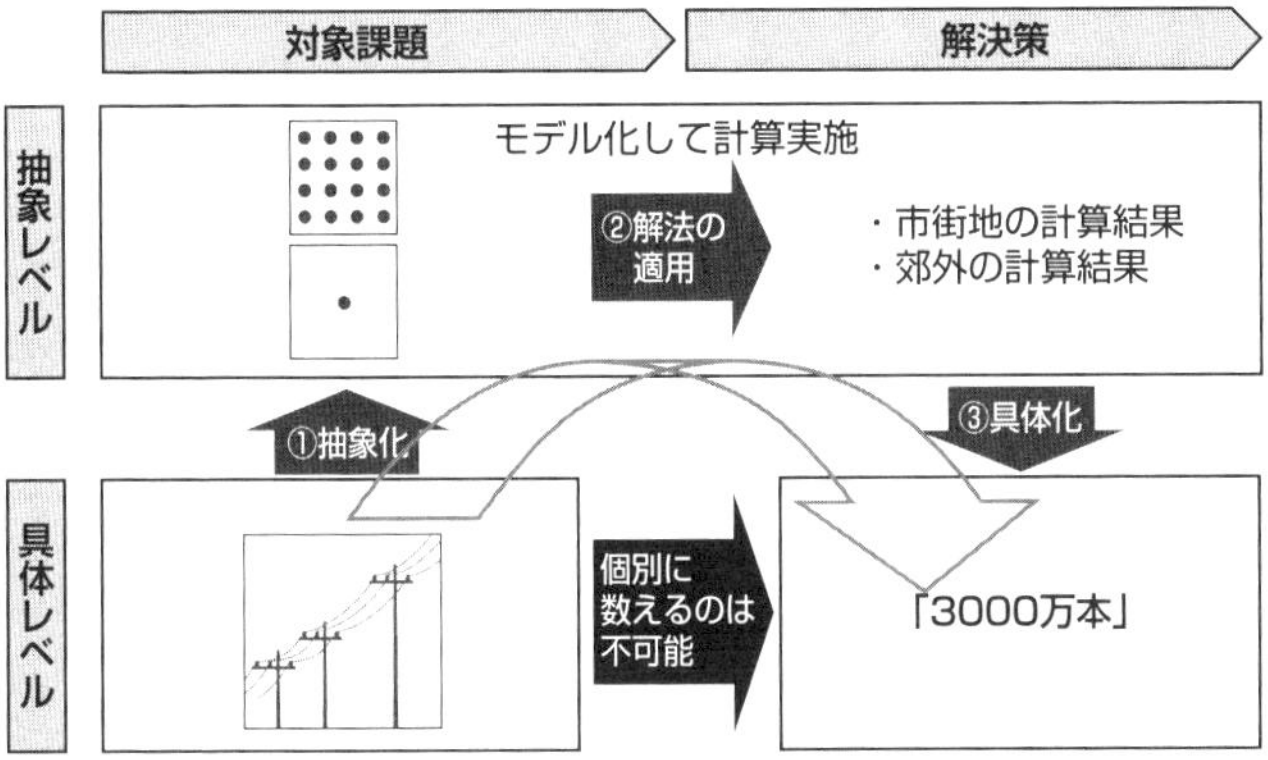

抽象化レベルの違いに見る「改善」と「改革」の違い

企業変革をするときに使われる言葉に「改善」と「改革」という言葉がある。これらの違いは何だろうか。いろいろな定義はあるだろうが、抽象化思考の観点からいえばそれは「問題解決の抽象化レベルの違い」である。図７－３を見てほしい。具体レベルでの課題を裏返した解決策をそのまま実施するものが改善で、その課題を一度抽象化して本質を追究した上で解決策を具体的に落としてくるのが改革である。

具体的な例をケーススタディで見てみよう。（図７－４）

法人を顧客とするビジネスを営むＸ社で、長年の得意客であるＹ社の売上げが落ち込んできたために対策を考えることになった。ここで二つのアプローチが考えられる。前述したような改善的なアプ

図7-3　改善と改革の抽象化レベルから見た違い

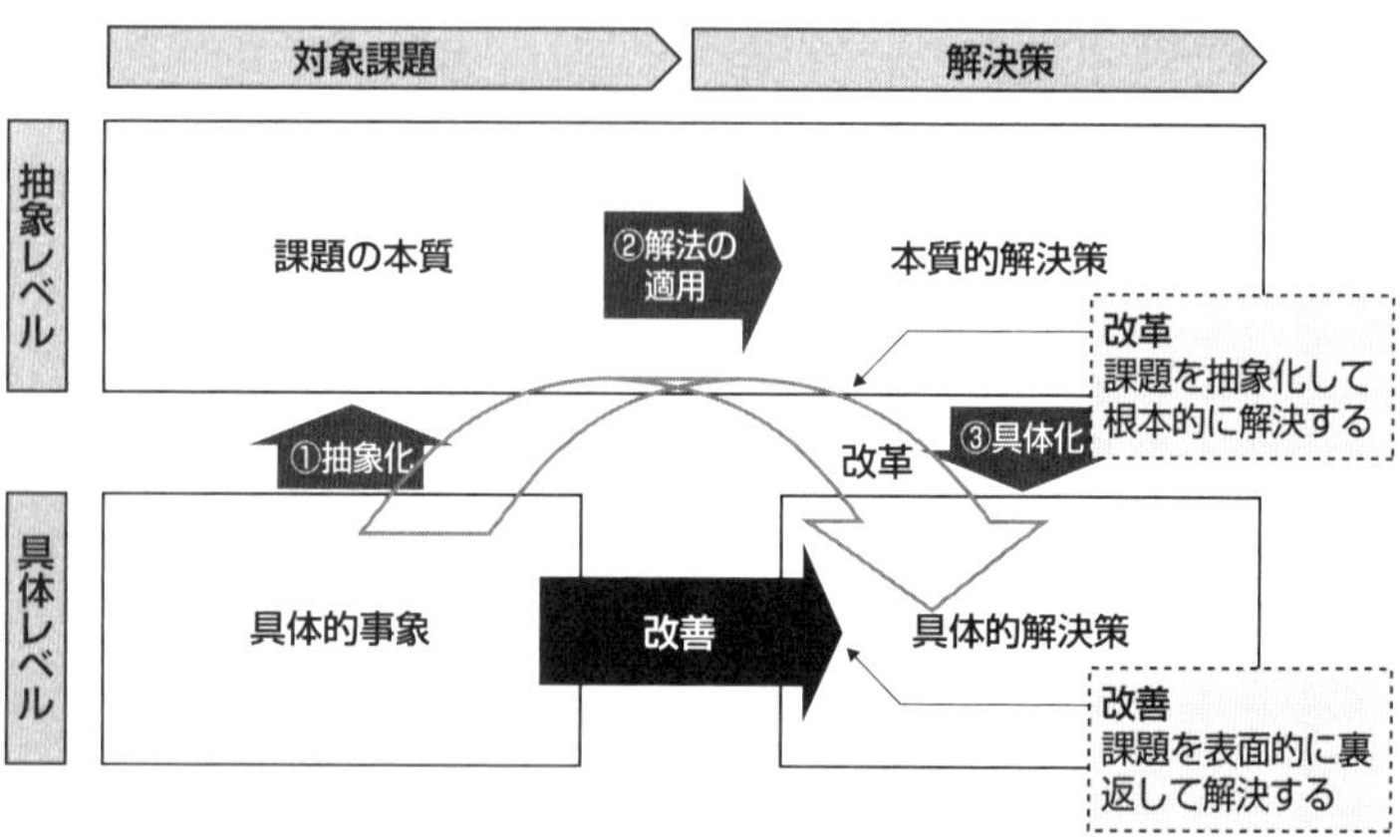

ローチか改革的なアプローチかのいずれかである。まずは表層的に問題解決を図る、改善的なアプローチを考えてみよう。Y社の売上げが落ちたのだからその事象に直接対策を打つというのが改善的アプローチである。したがって、Y社担当の営業マンをスキルの高い人に変えるとか、Y社に対しての値引率を上げるとか、Y社向けに特別プロモーションを適用する等の施策がこれに相当する。

次に改革的なアプローチを考えてみる。Y社の売上減少の原因をさらに「なぜか？」という観点で深掘りしてみると、Y社に対しての売上げのみならず、新規顧客に比べて昔からの得意顧客の売上げが軒並み減少し、ひいてはそれが全社的な売上げの停滞につながっていることがわかった。つまり根本的な課題は、新規顧客の開拓にエネルギーを注ぐあまり、本来守るべき上得意

図7-4　改善と改革の違いの例（キーアカウントマネジメント）

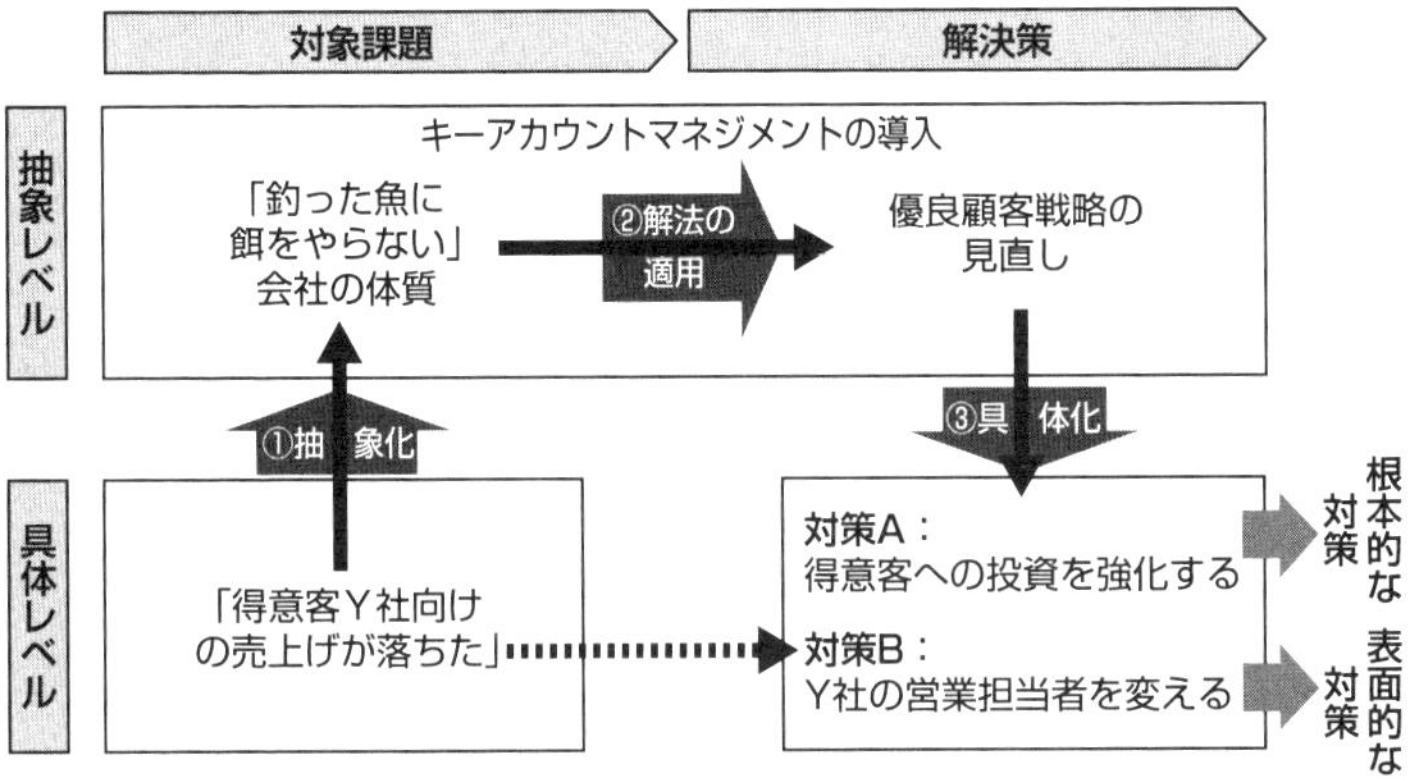

顧客が十分にケアされていない、いわば「釣った魚に餌をやらない」という状態になっていたのである。一般的に既存顧客から繰り返し受注をもらうよりも新規顧客を獲得する方が何倍もコストがかかるという原則があるので、このような結果が起きてしまったのである。そこでの改革の施策は、すでにマーケティングの世界で手法として確立されている「キーアカウントマネジメント」という顧客管理手法を適用することができる。それは例えば、重要顧客専用のチームを設置して顧客と（点ではなく）「面」の関係を築くとか、それによって顧客の経営課題により入り込んだ提案を行っていくとかいった手法である。

これを具体的にX社の業界やY社との関係にうまく当てはめていくことによってY社との関係を改善することがより根本的・本質的な改革としての施策につながるのであり、その効果はY社のみにとどまらず、上得意客全般に及ぶのである。

「モデル化」でシンプルに考える

シンプルに考えるための有効なツールがモデル化である。「モデル」とは事象の持っている本質的な特性のみを切り出して単純化したものであり、モデルで考えることによって問題解決が容易かつ応用範囲の広いものとすることができる（電柱の例題を思い出してほしい）。

自然科学の標準アプローチ

このモデル化という概念を用いる典型的な分野が数学や物理学等の自然科学の分野である。例えば「ものが落下する」という事象のモデル化を考えてみよう。ものが落下するという物理的事象には、そのものの質量と重力定数が支配的に作用することがニュートンの万有引力の法則によってわかっている。したがって、「石が山から落下する」のも「ボールペンが机から落ちる」のも同じように、「質点」と「質量」という形で物質の大きさや構成要素にかかわらず同じように扱ってしまって公式を当てはめることによって森羅万象を説明しようという考え方である。

図解でモデル化力を鍛える

前章のフレームワーク思考力の説明で、「図解して考える」ことの有用性について述べた。この「図解して考える」ことは抽象化思考力にも深く関連しており、特にモデル化する力を鍛えるためにも非常に有効である。そもそも図解するというのは問題解決であれ何であれ、対象とする事象の特徴をとらえて簡略化し、特定の図形で代表させるという点でモデル化の発想そのものであり、図形化の訓練をするということはモデル化の訓練そのものと言ってもよい。フェルミ推定の電柱の事例等で、第３章で示したような「格子状にする」というのも図形化＝モデル化の発想である。

枝葉を切り捨てる

抽象化思考の次のポイントは「枝葉を切り捨てる」ということである。前述の「モデル化」を考える上で「単純に考える」抽象化には必須の考え方である。モデル化、一般化をするには、事象の本質を見抜くとともにその本質と関係のない部分（つまりこれが枝葉である）をばっさりと切り捨ててものごとを考える習性が必要になってくるのである。

「牛を球とみなす」という発想

ローレンス・Ｍ・クラウスはその著書『物理学者はマルがお好き』（ハヤカワ文庫）の中で「牛

を球として考える」という表現で物理学者がいかに対象物を大胆にモデル化するかという例を紹介している。あるいは第3章のフェルミ推定の電柱の例題でも、「日本列島を長方形とみなす」とか、「全国の電柱の配置を格子状に近似する」というような大胆な近似を試みている。こうした議論は、几帳面で律儀にものごとを進めていくタイプの人にはきわめて「乱暴」と写るに違いない。複雑な海岸線を直線とみなすとか、（実際にはありえない）電柱が二〇〇m角の格子状に配置しているとか、そんな暴論がゆるされていいのかと思うだろう。

抽象化とは枝葉を切り捨てることであると前述した。では、ここでいう「枝葉」とはいったい何なのか？ 「枝葉を切り捨てる」ということの最大の課題は枝葉にこだわっている人というのはそれが枝葉であることに気がついていないことなのである。

どこまでが枝葉で、どこからが枝葉でないかというのは、状況によって異なる。考えるという行為を通じて問題解決を行っていく場合に「枝葉である」かどうかの判断基準は基本的に「最終目的に対しての合致性」である。常に最終目的を意識して、最終目的に関係ないものはすべて枝葉と考えてよい。さらに考慮すべきは、最終結果に対しての影響度合いの大きさである。最終結果に対しての影響度合いが相対的に小さいものはすべて枝葉と判断できる。フェルミ推定の例題でいえば、最終的に算出する電柱の本数の精度に影響を与えないものはすべて枝葉ということになる。

知れば知るほど遅くなる？

「枝葉を切り捨てる」のはこれまでに述べてきたようなモデル化して本質をつかむということの他にも意味がある。それは往々にして「情報が意思決定を遅らせる」ということがあるからである。情報や知識が十分なければ意思決定ができないということは当然であるが、情報がありすぎる、あるいは現実を知りすぎているという状況も意思決定を非効率にさせる場面が非常に多いのである。

情報量が増えると本質が見えなくなる

枝葉が時間的な意味での意思決定を遅らせるのに加えて質的な点でも、本質を見えにくくするという意思決定の阻害要因となることがある。

膨大な情報から本質を見抜くというのは非常に高いスキルが要求される。おかしなもので、自分が詳しい分野になればなるほど、余計な情報に惑わされてしまう。フェルミ推定でも、自分の専門外の分野でやれば大胆な単純化ができたり、枝葉を切り捨てたりできるのに、こと自分の専門分野になった途端に言葉の厳密な定義にこだわってみたり、思い入れがある分野であるが故に専門外の人から見ると明らかに枝葉のことにこだわってしまったりして本質に迫れなかったりすることがあるのである。情報がない、あるいは少ないとなかなか結論に至らないというフェルミ推定の一般的課題を仮説思考力の章で述べたが、逆に情報がありすぎるのも結論に至る過程の阻害要因になるという「フェルミ推定のジレンマ」である。

これはすなわち問題解決一般に当てはまるといってよい。例えば顧客分析や製品分析をする際に「こんな顧客もいる」「あんな製品もある」といったごく少数の例外に注意が向いてしまったり、「十把ひとからげで考えるのは無理だ」「現実はそんなに単純ではない」という話になっていつまでも結論が出なかったという経験はないだろうか？　スピード重視の時代にあって「単純に考える」ことの効用は大きい。ところが事象を単純にとらえるというのは実は非常に難しいことなのである。

本質を理解すれば「三〇秒で」説明できる

「単純に考える」というのは深く考えないという意味ではない。むしろその正反対だ。ものごとを考えに考え抜き、つきつめた結果到達した本質、つまり「要するにそれは何なのか？」という質問に対する答えは非常にシンプルなものになる。端的に言ってしまえばものごとの本質を理解すれば、それは一言で、長くても三〇秒で説明できるものである。逆に長時間かけないと説明できない、あるいはどうしても説明資料が複雑になってしまうというのであれば、まだまだ思考が浅く本質に迫っていないと考えた方がよい。情報収集に情報収集を重ねて五〇〇ページの調査報告書を作れるというのは単なる「専門家」であって、単純に考えることのできる「地頭型多能人」ではない。

真の地頭型多能人に求められるのは五〇〇ページの調査報告書の内容を、①相手に応じて、②三〇秒で説明できることである。だらだらと長時間、複雑な資料を説明するのは実は何も「地頭力」を使っていないと思った方がよい（単にZ軸の「知識力」を使っているだけである）。

「三〇秒チェック」で頭の整理を

読者はさまざまな場面で提案書や企画書、調査報告書、仕様書等のドキュメントを作ることがあるかと思う。前項で説明したことを応用して自分の作成したドキュメントに関しての「三〇秒チェック」をやってみてはいかがだろうか。例えば二〇ページの企画書の要点は何なのか、相手別にこれを三〇秒で説明するとしたら何と言って説明するか、あるいはこれは資料全体でなくてもその中の一つの章や一つの図でもよい。章の要点は三〇秒で説明できるほどに自分の中で十分に考え抜かれたものだろうか、あるいは説明用の図表はキーメッセージが明確になっており、情報量が多すぎではないかなどという確認によって、この枝葉を切り捨てて本質を突くという訓練ができる。

あるいはビジネスの場だけでなくても、一冊本を読み終わったら、読後に「この本のキーメッセージは何か」「三〇秒で説明するとしたら何というか」と考えてみる。その他テレビ番組でも講演会でもよい。九〇分の内容をいかに三〇秒で説明するかという訓練を積み重ねると本質に迫る力は着実につくはずである（ただし、小説やドラマ等で芸術性が高く、結果でなく「過程」

重視の内容を楽しむものについては不向きなことをおことわりしておく)。

この項のまとめとして、読者に一つの例題を出しておく。

「あなたは自分自身を三〇秒でどう説明するだろう?」

読者はすべて「自分自身の専門家」のはずである。したがって、自分自身について九〇分語ることは比較的容易なのではないか。生まれたところから、幼稚園や学校、家族やこれまでの仕事のことなどを順番に並べていけば誰だってそのくらいの話はまあまあのレベルでできるはずである(その話が面白いかどうかは別問題である)。では三〇秒で説明しようとしたらどうか?これは相当頭を使って考えざるを得ないのではないか。あなたの強みや弱みは何か、どういう価値観なのか等、「あなたを一言で表現する」には本当にあなた自身の「本質」を突き詰めて考える必要があるだろう。しかもこれは相手によってアピールポイントが違うに違いない。就職の面接官なのか、見合い相手なのか、はたまたビジネスのプレゼン先の社長なのか……。ぜひ一度電車の中でも考えてみてほしい。

アナロジーで考える

抽象化思考力の次のポイントは「アナロジー(類推)で考える」ということである。アナロジーとは、異なる領域のものの間での共通点をきっかけに一つのことから他のことを類推して考えることである。アナロジーは抽象化思考の縮図であり、これを用いることによって、すでに起きている本質的に類似した事象を参考にした問題解決を図ることができるので、対象範囲が桁違いに広がり、飛躍的に応用範囲を広げたり、先人の知恵を限りなく活用したりすることができるようになる。

およそこの世の中で起きていることというのは、表面的にはすべて異なっているものの根本的な構図を掘り下げていけばほとんど同じ構造になっていることが多い。自然科学においては、量子力学、相対性理論等ごく少数の理論によって宇宙の森羅万象がほとんど説明できるというのが現在の物理学の教えるところである。さらに人間の行動に目を向けてみても、人間の行動の根本的なモチベーションというのは心理学者のマズローの分析結果にあるように、生理的欲求、安全の欲求、自己実現の欲求といった基本的なものであって、環境が多少変わっても根本原理というのはそれほど変わるものではない。

つまり、我々が直面する課題というのは表面的には違った形に見えるが実はすでに同じ原因やメカニズムで起こっているというのがほとんどなのである。したがって「先人の知恵」を拝借することによって、一から問題を解決しなくても問題解決を図ることが可能なのである。これを有効に実施する方法が「アナロジー」なのだ。

「自分は特殊である」という思い込みを排除する

アナロジーで考えるために排除しなければならない考えがある。それは「自分（の置かれた環境）は特殊である」という思い込みである。一般的に人間は他人から見ている以上に自分自身で「自分の経験していることは特殊である」「自分の置かれた環境（組織、会社、業界等）は特殊である」というふうに思い込みがちである。ただこれを客観的に見てみると、確かに特殊な部分はあるが、部分的には共通している部分も多いことが往々にしてある。図7−5を見てほしい。一番左が、我々が自分自身の認識のことをこう思い込みがちであるという状態である。ところが実際は図の真ん中にあるように、本当に特殊といえる部分はほんの一部で、あとはいくつかの共通化が可能な部分の組み合わせで成り立っていることが多い（組み合わせの掛け算をすれば実際には個別にはほとんどが違っているという状態にはなりうる）。

所詮は同じ人間がやっていることである。個人を動かす行動原理というのはそれほど異なっているはずがない。その集合体としての組織や会社であってもそんなに特別なことばかりではない。構成要素としての個別の原理原則はシンプルなはずである。実際には個別の構成要素の組み合わせで複雑に見えるだけで本当に特殊なところはわずかである場合がほとんどである。

第4章で述べた「経験至上主義者」の陥りがちな落とし穴がここにある。

唐突なたとえかもしれないが、例えばピアニストが左官職人から学べることはないだろうか？素直に表面的な仕事から考えればおよそ共通点はなさそうに見える（強引に結びつければ「手

図7-5 「自分は特殊である」という思い込み

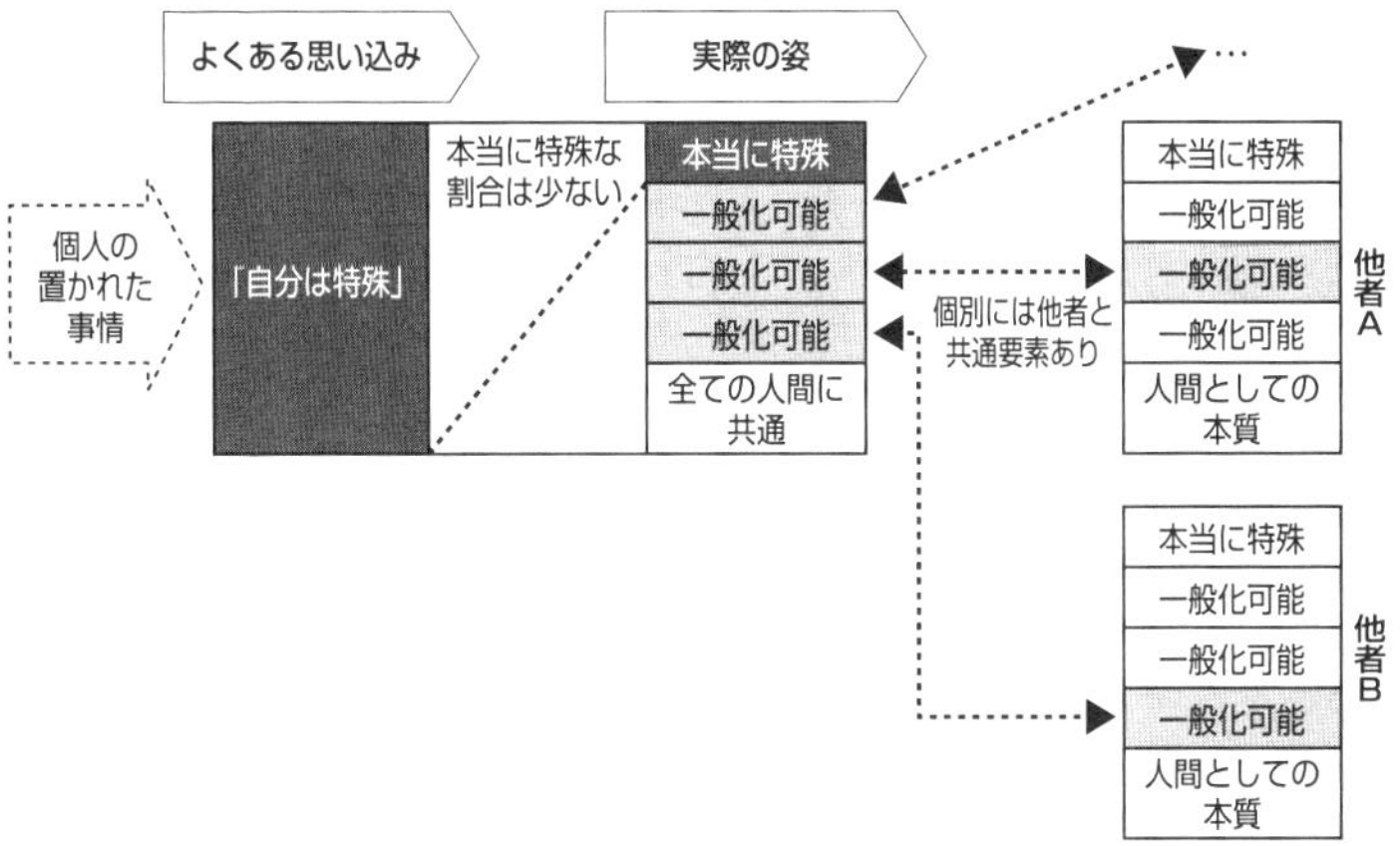

を使う」とかいうこじつけも考えられるが……）。ただし、同じ人間がやっている職業であることを考慮すれば、前述のとおり基本的な行動原理は同じところもあるはずである。例えば「職人気質」という、その道をきわめた人の行動パターンというのが一流のピアニストと一流の左官職人に当てはまらないだろうか。弟子の教育の仕方、仕事の品質へのこだわり、顧客満足に対する考え方等にこうした共通の考え方があるはずである。

もう一つ自然科学の例で考えてみよう。ニュートンの万有引力発見以前に「月が地球の周りを回る」のと「りんごが木から落ちる」のが同じ原理である等という話を誰が信じただろうか？　あるいは地球上の落下運動が物体によらずたった一つの単純な式で表現できるという話を誰が信じただろうか。おそらく万有引力の存在を知らない人にこの話をしたら、「頭がおかしい」としか思われなかったに違いない。

半分だけ水の入ったコップを見たときに、「半分しか水が入っていない」と思う人と、「半分も水が入っている」と思う人の二とおりがあるという話がポジティブ思考とネガティブ思考の違いの説明でよく用いられるが、本章で解説しているような、二つの事象を比較してまず共通点から見るのと、相違点から見るのとではまったく異なった価値観になるのだ。「まず相違点から見る」というのは、地頭力に一番必要な「考える」という姿勢を拒否した思考停止の状態に陥ることを意味するのである。

ところが往々にしてイノベーションというものは、こういった「似ても似つかないようなものに共通性を見つける」という発想から生まれるものである。これまでにまったくなかったような原理原則を発明しなくても、すでに存在している原理や法則等を普通の人が思いもしなかったような意外なところに適用することによるイノベーションの例の方が実際は多いのである。インターネットを使った新しいビジネスモデル等もよく見るとこのパターンがほとんどである。逆に、すぐに誰でも気づくような表面的な類似事例の研究はとっくにみんなやっているから革新性はほとんどない。

以上述べてきたように、アナロジー、あるいは抽象化思考にあっては「対象とする課題が特殊である」と考えた途端に思考停止が起きる。そのため、本当に特殊なのかをきちんと切り分けて考えて部分的にでも抽象化・一般化ができないか、他の事例や歴史や一般法則から学べることがないかと考えてみることが非常に重要である。心を開いて問題意識を持っていなければそれは見えてはこないのだ。

もしそれでも、いま自分の置かれた状況（会社や業界）が特殊であって他でやっている事例は適用できないと思ったら考えてみてほしい。

「本当にいまの状況は特殊なのだろうか？」

もしその答えがイエスであれば、再度問い直してほしい。

「本当にそうだろうか？」

抽象化能力の高い人はたとえ話がうまい

たとえ話がうまい人というのがいる。こうした人たちの思考回路はどうなっているのだろうか。そもそもたとえ話とは何だろう。これはアナロジー、すなわち類推の考え方そのものである。前述のように、類推とは「一見異なるように見えるが共通の特徴を持つ二つの事象を関係づけて、一つに当てはまる事象がもう片方にも適用できるかということを考えて適用する」という発想である。たとえ話というのも、一つの概念をわかりやすく説明するために、①説明したい内容と共通の特徴を持ち、②より卑近な事象を例に出して、理解を促進するという効果がある。

これがうまいということは、①の共通の特徴を持つものを瞬時にして頭の中で探し出してくるという能力が必要になってくる。これは抽象化能力そのものである。つまり、たとえ話がうまいというのは抽象化能力が高いということを意味しているのである。

さらにこれを高度化させたスキルとして、他の人が持ち出したたとえ話を引用してさらに発展させるというテクニックがある。これは単なるたとえ話よりさらに高度なスキルが要求される。なぜならば瞬時に相手のアナロジーを理解してその意図する本質を把握してさらにそれを他人が持ち出した土俵上で膨らませるということが必要になるからである。

たとえ話の効用の例

ではたとえ話にはどんな意味があるのだろうか？

簡単なケーススタディを挙げてみよう。Eさんはシステムエンジニア。二〇年前に構築した情報システムを更新したいというW社情報システム部のF部長を訪ねてW社の状況をヒアリングしていた。

Eさん：貴社がレガシーシステムの更新をしたいという話を伺って訪問したのですが、どんな状況か教えていただけますか？

F部長：そうなんです。実は弊社のシステムはもうかれこれ二〇年前に入れたホストシステムが中心になっているので、これを一気に刷新したいんですよ。

E：なるほど。おそらく二〇年の間にはいろいろと少しずつ小さな改善をしてきたんですよね。

Ｆ：ええ、でもそれが問題でね。二〇年の間にはもちろん情報技術もめまぐるしく変化してきたし、もちろんビジネスの環境も変わってユーザーの使い方も変わってきていますからね。毎年のようにシステムの改良を繰り返しているうちに、かなり肥大化してきて全体の構造がぐちゃぐちゃになっていてね。メンテナンスにも非常にコストがかかるようになってきている上に最新技術が反映しにくくなってきているのでユーザーからの不満も大きいんですよ。

Ｅ：増改築を繰り返している古い温泉旅館のようになっているんですね。

Ｆ：そうそうそう！　まさにそのとおりです。

二人の会話を整理してみよう。Ｆ部長によるＷ社の情報システムは①長期にわたって改良を繰り返してきている、②肥大化して複雑になっている、③コストがかかる、④ユーザーニーズを反映しきれないという説明から「長期にわたって改良が繰り返された構築物」という形で特徴を抽象化し、同様の共通点を持ち、なおかつ誰もが経験したことがあるような「古い温泉旅館」という身近な例をたとえ話として持ち出して、Ｆ部長の共感を得ることができたのである。

ではここで用いられたたとえ話はどんな効用があったのだろうか。

大きく二つある。一つ目は、Ｆ部長の話のポイントを正確に把握していることを一言で表現し、相手にもそれを一瞬にして伝えることができたということ、そして二点目は、「古い温泉旅館」を例に出すことによって、今後の対策や課題として話されるであろう、

・設計図（システムで言えば仕様書）が満足に残っていない

・一気に刷新したくても多数のしがらみがある

・しかし刷新した場合のメリットも計り知れない

といったいくつものことを一気に先読みすることができたのである。まさに「一を聞いて十を知る」という抽象化思考のメリットを享受したと言える。

「なぞかけ」は日本伝統のアナロジー能力開発ツール

アナロジーを鍛えるための日本古来の言葉遊びがある。それが「なぞかけ」である。なぞかけの仕組みを見てみよう（図7－6）。

なぞかけの標準スタイルは、

「○○とかけて△△と解く」

「その心は？」

「××」（「おち」が来る）

というものである。

図7-6 「なぞかけ」はアナロジー思考訓練のツール

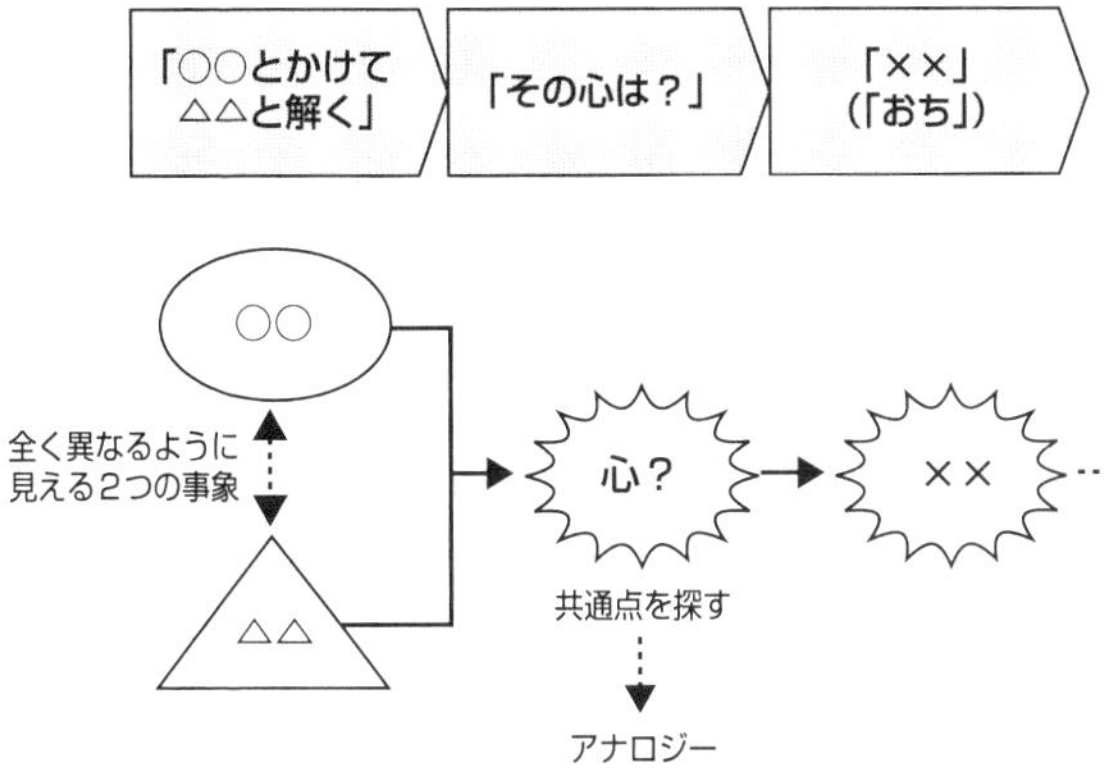

ここでいう「心」というのは一見まったく異なるものに見える二つの事象の共通点のことである。つまりなぞかけというのは、言い換えれば「共通点探しのクイズ」ということになる。この構図は前項で説明した「たとえ話」の構図とまったく一緒だということに気づいただろうか。この共通点探しというのは抽象化プロセスそのものである。ただ単なるだじゃれや言葉尻の一致という点では抽象化というレベルにまではいかないが、レベルの高いなぞかけというのは、二つの事象の本質に迫った特徴をうまく導き出したものと言える。なるほど「心」とはうまい言葉を使ったものだ。

再びニュートンの例にもどって、万有引力の話をなぞかけにあてはめてみよう。ニュートンは、「りんご」とかけて「月」と解いたのである。その心は「地球と引き合っている」というなぞかけである。ニュートンが発見した共通点、すなわち「心」というのがいかにとてつもないものだったかがおわかりだろうか。

抽象化思考の留意事項

本章では抽象化思考の意義、具体的ステップや適用方法等について述べてきた。非常に威力を発揮する抽象化思考であるが、その「使い方」には十分留意する必要がある。最後にその注意点について述べておこう。

抽象化と具体化をうまく組み合わせるべし

抽象化思考が比較的得意な人にありがちな落とし穴として、抽象概念の世界に生きる（つまり「二階」の住人になってしまう）あまりに、具体性がなく、一般の人に説明するにも過度に抽象化された言葉を使ってしまって理解されないということがある。抽象化思考のプロセスでいうところの①モデル化②解法の適用のプロセスはいいのだが、③の「再具体化」というのは実際に解いた問題を十分に具体的に噛み砕いて実際の世界（一階の住人）にわかりやすく説明する必要があるのである。その場合には「たとえ話」や「アナロジー」を使うのも有効である。話に難しい公式や抽象概念の専門用語が出てきてまったく理解されない人というのはこの落とし穴にはまっている人である。

「過度の一般化」にも注意すべし

もう一つの落とし穴を挙げておこう。本章では「抽象化」の重要性について繰り返し説いてきた。そのために「自分を特殊視すべきでない」というメッセージで繰り返し抽象化思考の適用をすすめてきた。

しかしながら人間の特性として「自分を必要以上に特殊視する」という反面で、「他者を必要以上に一般化する」ということがある。例えばあまりなじみのない他国の人の特別な言動を見て「○○人はすぐ××する」とか、普段つきあいのない世界の人と少し話をしただけで「□□の業界の人は△△だ」といった偏見を持ったり即断をしたりしがちであるが、抽象化思考に必要なのは、過度に特殊化したり一般化するのではなく、事象の持つ性質を正確に見きわめて切り分けた上で共通の部分は共通として取り扱うとともに、相違する部分も正確に把握していくという姿勢なのだ。

「近頃の若い社員は……」「最近の学生は……」が口癖の人は二つの点で要注意である。一点目は「他者の過度の一般化」、二点目は「自己の特殊化」(「自分の世代だけはもっとまともだった……」)である。ある意味で思考停止の一例といえるだろう。

くれぐれもご注意を。

第7章のまとめ

1. 抽象化思考力によって応用力を飛躍的に向上させることができる。

2. 抽象化思考の基本プロセスは、①抽象化、②解法の適用、③再具体化の三ステップである。

3. 抽象化思考力に必要なポイントは①モデル化、②そのための枝葉の切り捨て、③アナロジーの考え方の三点である。

4. 抽象化の概念の基本は「共通点を探す」ことである。これは人間の「考える」という行為の基本といえる。

5. 抽象化思考の阻害要因は「自分（社）は特殊だ」という思い込みである。

6. 抽象化思考の留意事項は、①具体化とのバランスを常に意識すること、②過度に一般化しないことである。

第8章 地頭力のベース

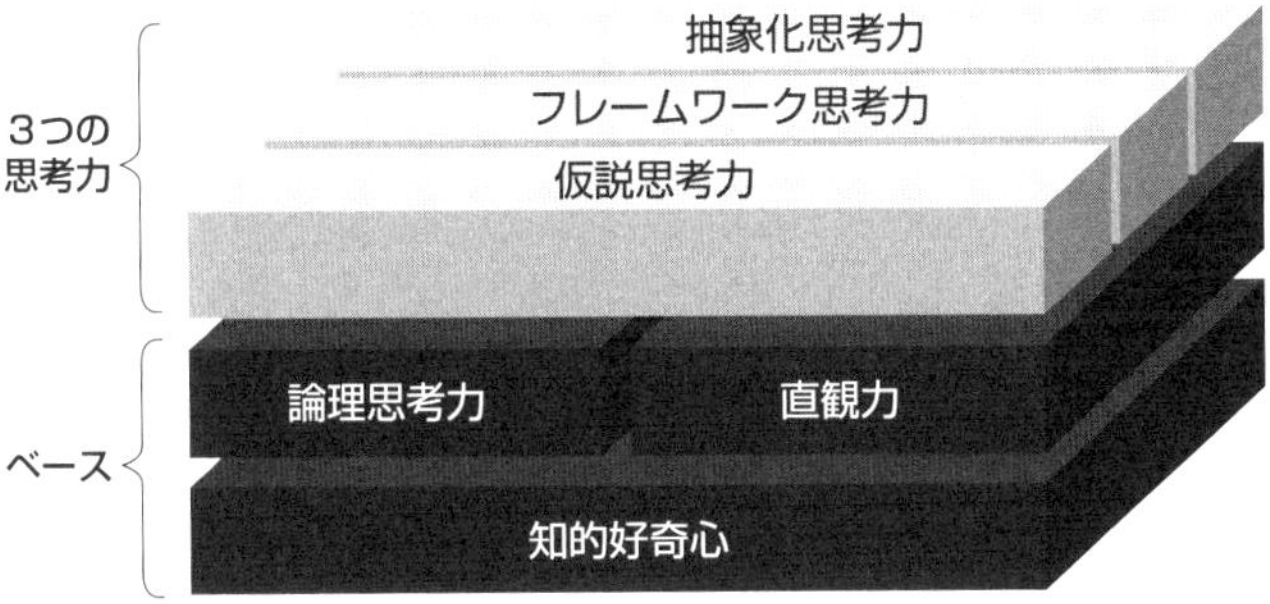

3つの思考力
抽象化思考力
フレームワーク思考力
仮説思考力
ベース
論理思考力
直観力
知的好奇心

地頭力のベースの構造

引き続いて地頭力のベースについて解説する。対象が何であれ通常の解説書ではまず基礎となるベースを固めてからその上の応用にいくという順序をとるのがオーソドックスなやり方かとは思うが、本書ではあくまでも「結論から」「全体から」「単純に」考えるという地頭力固有の三つの思考力を中心ととらえ、その基礎体力ともいえるベース部分を最後に解説するという構成とした。

これまで述べてきた地頭力の三つの思考力のベースは「論理思考力」「直観力」「知的好奇心」の三つと定義する。これらはさらに二層構成となっており、上から順に「論理思考力」と「直観力」のペア、続いて知的好奇心という構造となっているので、この順序で解説していくこととする。

守りの「論理」と攻めの「直観」

昨今の脳力開発ブームの一環として、ロジカルシンキングが流行となっており、この数年だけでも多数の著作が出版されている。こうした流れの中ではともすると、「考える力」=「論理思考」とも取れるほどに論理が強調されているが、実際には人間の発想、特に創造的な発想をする上では、論理だけでは不十分である。「論理的に考える」とはものごとの一貫性や整合性を担保することへの貢献が大きいと考えられるが、新たな概念を生み出すことへの貢献に関しては、むしろ論理と対比して考えられる「直観」の得意とする領域である。つまりは相反すると考えられるこの二つの概念をうまく組み合わせて考えることが重要になってくる。一言で考える力といってもこれらのバランスには個人差があって、得意とする分野やアプローチが異なってくる。

これまでにも、人間の考える能力に関しての論理と直観に関する様々な議論がなされてきた。例えば、一九世紀末〜二〇世紀初頭に活躍したフランスの数学者ポアンカレは、その著書『科学の価値』（岩波文庫）の中で数学者にも論理型と直観型の二とおり存在することを以下のように述べている。

「大数学者の、いや小数学者のでもよろしい、ともかくも数学者の実績を研究してみると、どうしても二つの相反する傾向が眼について、これを区別しないわけにいかないことになってくる。あるいはむしろ、まったく相異なる二種類の精神構造といったほうがいいかもしれない」

この例にもあるように、論理と直観というのはある意味対比概念であるとともに、地頭力のベースとしては両輪とも言えるものである。地頭力の構成要素である三つの思考力にはいずれも論理思考と直観力の両方が必要とされるのである。

例えばまず仮説思考力に関して、まず仮説を立てるという行為そのものは純粋に論理的にできるものではなく、直観力が必要になってくる。例えば作家の丸谷才一氏はその著書『思考のレッスン』（文春文庫）の中で以下のように述べている。

「とにかく最初に仮説を立てるという冒険をしなければ、事柄は進まない。直観と想像力を使って仮説を立てること、これはたいへん大事なことですね。同時に、仮説を立てるに当たっては、大胆であること。びくびく、おどおどしていてはダメです。同じ仮説なら、みんながアッと驚くようなものを立てたほうがいい。つまり仮説を立てるに当たっては、学者的手堅さよりも、むしろ芸術家的奔放さのほうが大事だと思う」

これに対して、設定した仮説に基づいてそれを検証していくのは多分に論理の側面が強くなる。次にフレームワーク思考力に関して、最初の全体俯瞰については「全体の絵をイメージする」という点での直観力が必要である。次の適切な断面の選択、つまりどういうフレームワークを選択するかというのが最大の「アート」であり、経験に基づく勘のようなものが必要になってくる部分である。どういうフレームワークを選べばその後の分析を最適に運べるかということに関しての「公式」というものはない。つまり個人の「アート」としてのスキルに依存するものである。その後の分類や分解に関しても切り口の選択は直観力の部分が大きい一方で、選んだ切り口でMECEに分類したり、因数分解したりしていくのは論理的な思考がより求められる。最後に抽象化思考力に関しては最初の抽象化・モデル化は直観力の要素が大きく、次のモデルを使った解の導出と具体化に関しては、公式のようなパターンの当てはめ等の論理性が強くなってくる。

表8-1 「論理」と「直観」の違い

	論理思考力	直観力
主に使う脳	左脳的思考	右脳的思考
アートかサイエンスか？	サイエンス	アート
属人性	誰がやっても 同じ結果が出る	人によって 違う結果が出る
ルール化	できる	できない
思考の位置づけ	当たり前のことを 当たり前にやる	付加価値をつける
攻めか守りか？	「守り」	「攻め」

以上のように、「結論から」「全体から」「単純に」考えるという地頭力の三つの思考能力は論理思考力が必要となる側面と直観力が必要となる側面の両面から成り立っているのである。

ここまで述べてきた論理と直観の対比を表８―１にまとめておく。

ビジネスは「アート」か「サイエンス」か

すべて人間の営む知的活動には科学的・論理的に説明ができて（原理的には）万人に再現が可能な「サイエンス」の部分と、科学的・論理的に説明することが難しく、誰にでも再現することができるわけではない個人技である「アート」の部分が存在する。例えば音楽や絵画等いわゆる「芸術家」と呼ばれる人たちの仕事はアートと言えるし、工学の世界等、一度原理が発明・発見されてしまえばあとは誰がやっても同じ結果が出てくる類の営みはサイエンスと呼べる（ただし、原理・原則そのものを発見する行為というのは多分にアートの世界である)。

では我々が日々かかわっている「ビジネス」というのはアートなのか、サイエンスなのか？

これは永遠のテーマである。もちろん両者にはアートの部分もあればサイエンスの部分もある。例えば財務会計のような経理業務においては基本的に誰がやっても同じ結果が出てこなければ都合の悪い、サイエンスの代表例である一方で、研究開発における基礎研究のように、アイデアやひらめきが重要となる純粋にアートに近い業務も存在する。経営に関しても、事業アイデアの醸成や人を動かすカリスマ性やリーダシップ等、個性を持った経営者としてのアートの面が重要である一方で策定した戦略を株主や従業員に筋道立てて説明したり、組織全体で実行可能な業務プロセスや実施計画に落とし込んでいくのはサイエンスの側面が重要になってくる。

大企業のように多くの人間が組織だって動く場合にはできるだけアートの部分を排除して「科学的に」組織を運営していくのが望ましい側面がある一方で、他社に対しての差別化を行うためにはアートの部分をいかに引き出していくかという点も重要になってくる。つまりは比較論でいえば、企業としての守りをしっかりと固めるための施策、例えばコストダウン等の地道な改善活動にはサイエンスの部分が重要となり、攻めのための施策、例えば斬新な発想が必要なイノベーションや新製品開発等にはアートの部分が必要になり、これらのバランスをうまく取ることが重要である。

「万人に理解される」ための論理思考力

論理的であるとはどういうことだろうか。これは何も難しいことを言っているわけではない。要は説明対象の事象や言葉の間が「誰が見ても一貫してつながっている」ということである。それ以上でもなければ以下でもない。つまり、論理というのはすべての人にとっての共通語という位置づけである。

したがって、論理思考力というのは、新たな発想で新しいアイデアを出すといったようなクリエイティブなものではなく、いわば「守り」のためのツールである。それでもなぜこれだけ論理的思考力の重要性が語られるかと言えば、「きちんとつながった話をする」という基本中の基本がいかに難しいかということなのである。

ここで重要なのは、「万人に理解される」ということである。自分の話していることがつながっていないとか一貫性がないと思っている人はいない。問題は知らず知らずのうちに自分自身しか気がつかない思い込みから話が飛んでしまうことである。これを防ぎ、万人の間でのコミュニケーションを誤解なきよう進めるための一定のルールが論理性なのである。

したがって、論理思考力を鍛えるためには、自分自身の思い込みを捨てて客観的に話が一貫するよう整合させなければならない。このためのツールとしてフェルミ推定は有効である。まずは何らかの例題の解答を他人にわかりやすいように説明するのがよい。やってみるとわかるが、自らが考えたロジックを他人に説明するというのは意外に難しい。なぜ全体の仮説をそう考えたのか、どういう根拠でそれを分類し、因数分解したのか、といった項目を話の飛躍なく説明してみることは、問題設定がわかりやすいだけに非常に良い訓練となるので、誰か聞き手を見つけて練習してみるのがよい。

経験と訓練で鍛えられる直観力

先に述べたように、考える力としての地頭力には、論理的な思考力とのペアとして直観力というものが求められる。論理というのは当たり前のことを当たり前にするためのもので、そこに創造的に新たなものを生み出していくためのブレークスルーには必ず経験や知識に裏付けられた直観力というものが重要になってくるのである。

発明に関して、アインシュタインは以下のような言葉を残している。

「発明は、最終的結果が論理的な構造と結びついていても、論理的な思考の結果ではない」

直観力というのはまさにアートであり、きわめて属人的な能力であるために、科学的に鍛え方を説明するのが難しいが、これがどうやって鍛えられていくかというイメージをフェルミ推定で表現することができる。

フェルミ推定で単純なモデルでの訓練を繰り返していくと、仮説の設定の仕方やフレームワークの断面の設定の訓練等を経験することができ、これらの積み重ねから仮説や断面の選択の精度を上げていくことが段々とできるようになってくる。例えば市場規模の推定に関しては様々な分野での推定を行っていくと、どの切り口が一番特徴をつかんだ分類（セグメンテーション）ができるか、計算がしやすいか、データの精度を上げやすいかといった勘が身についてくる。仮説の設定に関しても同様である。

地頭力の一番のベースとなる知的好奇心

第3章で地頭力のベースとなり、実は一番重要であるかもしれないと述べたのが知的好奇心であった。

地頭力の三層構造図に示すごとく、これはこれまで述べてきた三つの思考力や論理思考力、直観力という地頭力のその他の要素を動かすための最下層での原動力となるものであり、これがなければ他のすべての能力がもしあったとしても宝の持ち腐れとなってしまう類のものである。

知的好奇心にも二種類

「自分は好奇心が旺盛だ」と安心している読者に一つ警鐘を鳴らしておきたい。実は知的好奇心にも大きく分けて二種類ある。問題解決に関する好奇心（Why型）と知識に対する好奇心（What型）である。こと地頭力の鍛錬に関しては前者は有益なのだが、後者はときには有害にもなりうるのである。普通は両者を同時に持ちあわせている場合がほとんどなのだが、時として二つのうちでもどちらが強いかが分かれる場面が出てくる。

ここで一つあなたの知的好奇心が前述のどちらのタイプかを簡単に判定してみよう（第3章のチェックリストにおける質問項目の9も質問の主旨は同様である）。

例えばクイズ形式の本を購入したとする。問題と答えが裏表ペアの二ページに記述されていて、問題ページをめくると次のページに答えが書いてあるというよくある形式のものである。ここで読み方が二つに分かれる。

①問題を読んだらすぐに答えを読みながらどんどん読み進める

②一つ問題を読んだら一度本を脇に置いて、自分なりの答えを出してからページをめくって答えを読む

の二とおりである。

これらは①知識への好奇心（What型好奇心）と②問題解決への好奇心（Why型好奇心）の違いを表している。What型好奇心の人はとにかく情報や知識を吸収することに貪欲であるが、答

えを知ってしまった途端に安心してしまい、それ以上にものごとを深く考えない傾向も見られる。いわゆる「雑学博士」の類の人は要注意である。どうも日本人は問題を見ると必ず（料理番組のように）答えがどこかに用意されていると考える傾向があるようである。考える力というのは基本的に答えがあるなしにかかわらずまず自分の力で考えてみるという習慣付けが重要である。ぜひWhy型の好奇心をもって日々をすごしてほしいものである。

ここで言及したWhat型好奇心とWhy型好奇心は第1章で定義した知的能力の各々「Z軸」（知識・記憶力）と「X軸」（地頭力）に対応する。ここで地頭力に関係するのは、当然のことながらX軸型の好奇心、すなわち問題解決への好奇心である。問題解決への好奇心とは何か？　これは一言でいうと「そこに問題があったら解決しなければ気がすまない」という、本能のようなものである。ちょうど登山家がなぜ山に登るのかと聞かれて「そこに山があるからだ」と答えるが如く、「地頭型多能人」が問題解決をするには「そこに問題があるからだ」と答えるレベルの知的好奇心がほしいものである。逆にZ軸型好奇心の人は「コピペ族」の予備軍として要注意である。

子供に学ぶ好奇心

子供は例外なくこれら両方の好奇心の固まりであり、小学校入学前の「なぜなぜ坊や」の時代というのはは特にWhy型好奇心の固まりである。それが学校教育で知識を詰め込まれ、成長とともに「常識」という形で純粋に疑う心を失っていく。

外山滋比古氏は著書『思考の整理学』（ちくま文庫）の中で人間の能力を、①受動的に知識を得る「グライダー能力」と②自分でものごとを発明・発見する「飛行機能力」の二つに分けた上で、学校教育が「グライダー能力」を養成することに注力されていると、以下のように批判している。

「学校はグライダー人間をつくるには適しているが、飛行機人間を育てる努力はほんの少ししかしていない。学校教育が整備されてきたということは、ますますグライダー人間をふやす結果になった。お互いに似たようなグライダー人間になると、グライダーの欠点を忘れてしまう。知的、知的と言っていれば、翔んでいるように錯覚する」

すでに二十年以上も前の言葉だが、現在の働き盛りのビジネスパーソンが受けてきた学校教育がまさにこうしたものであっただろう。こうやって純粋だった子供の「なぜなぜ心」が教育や社会生活を通じて「分別ある大人」に変わる間に我々のWhy型好奇心、つまり「疑う心」といったものがなくなってきたのである。「頭の固さ」とは何か？　それはこの「疑う心」に対する「知識・情報への依存心」の比率のことである。年齢とともに重ねた経験や学習によってこの比率は通常高くなっていく。

さらにこの傾向がインターネットの時代の情報洪水で助長され、ついには思考停止に陥ってし

図8-1　頭の固さとは知識・情報への依存度のこと

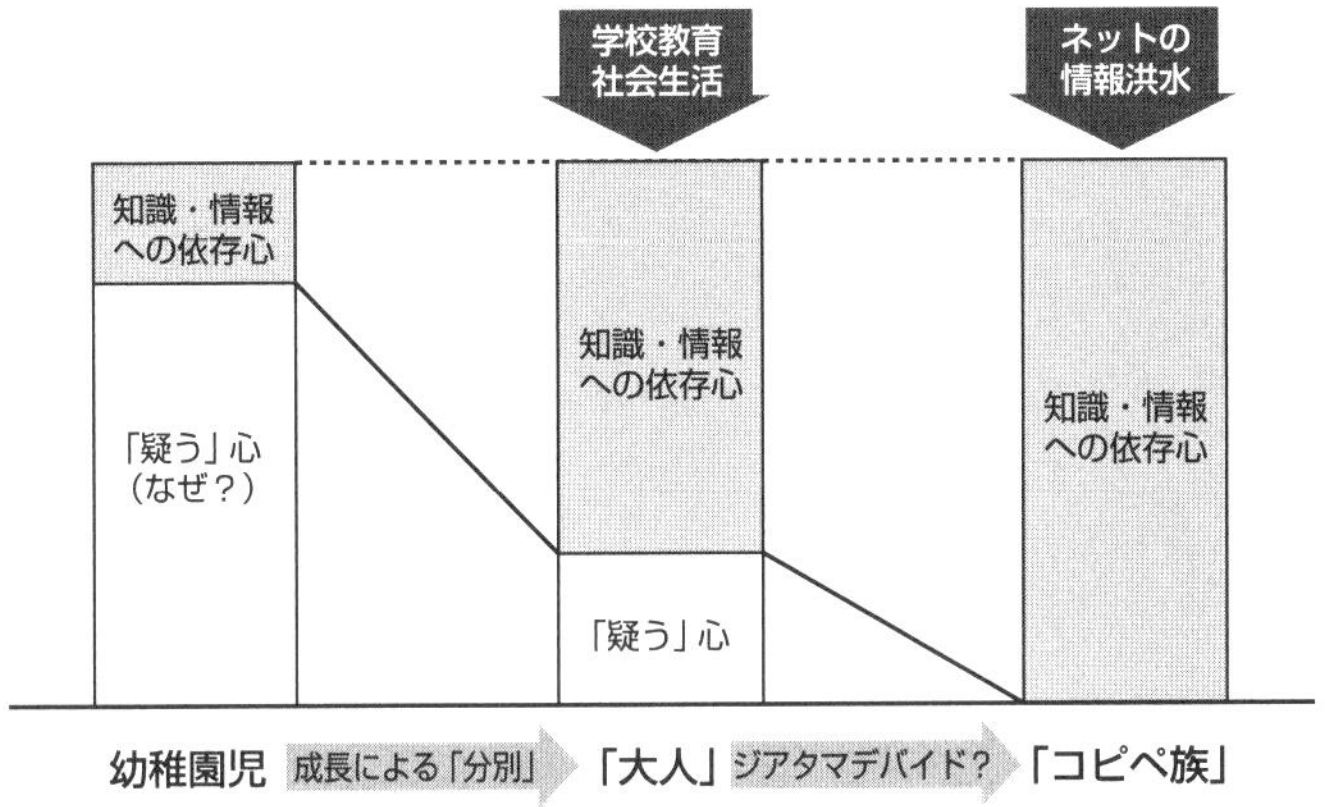

まうのではないかという「ジアタマデバイド」のリスクを示したのが図８−１である。

問題解決の達人に見る知的好奇心

ここで再びシャーロック・ホームズにご登場いただき、彼の尋常でない知的好奇心の強さが垣間見られる場面を紹介しよう。第３章で述べた『ボヘミアの醜聞』のテレビ版（Granada TV製作：この場面は原作にはない）の冒頭で久々にワトソンと再会し、コカインの服用を詰問されたホームズは、自分には知的な刺激が必要だといった後に「私に問題を、事件を与えてほしい」（"Give me problems, give me work"）という台詞を残している。その後の彼の台詞には「精神が沈滞を嫌う」とか「難解な暗号や分析を欲している」等というものもある。これらの台詞から、「問題解決」というのは彼にとっては何かをするための手段ではなくてそのものが目的であり生業そのものというほどに、解くべき問題というものの存在が大きいということがわかる。

ここに見られるのは、問題に対しての意識の高さである。さらにこの話の原作の中でホームズは、ワトソンの近況についての推理をぴたりと的中させてワトソンを驚かせている。また依頼人に対しての観察から、その人の背景についての推理を働かせるというのも有名なホームズの習性である。

ここで見られるホームズの問題解決に対する好奇心、それは「頼まれもしない問題まで解決しようとする」という姿勢である。問題というのは何も与えられるものではなく、その気になれば身の回りにいくらでも転がっているものである。

『料理の鉄人』や『カノッサの屈辱』といった個性的なテレビ番組の企画で知られる放送作家の小山薫堂氏は著書の『考えないヒント』の中で「勝手にてこ入れトレーニング」というものを推奨している。これは「日々目に入るものに勝手にてこ入れする」というもので、例えばレストランに行ったりCMを見たりしながら、「自分だったらこうする」というのを常に考えてみるということで、これも常に高い問題意識を持つべしということの一つの表現といえるだろう。

これらの事例に見られる知的好奇心、それはいずれも問題意識を常に高く持って自ら課題を発見していくという姿勢を持った上で「すでに何らかの実態（答え）があるものに対して自分なりの視点を加えてさらによい答えがないかを常に考える姿勢」が重要であることを示している。

すでに何らかの答えがある事象に対しては普通の人間はそれで安心してしまい、それ以上のことを考えようとはしないであろう（特に「What型好奇心」の人はそうである）。ここでさらに一歩も二歩も進んで「自分の頭で考える」という姿勢が特にオリジナルのアイデアを生み出すのに重要だということなのである。あらゆる対象に対して心を開いて見なければ課題は見えてこない。思考停止している人には何の課題も見えてこないのだ。言い換えれば既存の状況を「疑ってみる」姿勢といってもよい。

一つ誤解してはならないのは、これは単に「人の意見にケチをつける」のとは大きな違いがあるということである。単に部分的な批判をするのではなく、あくまでも「自分だったらどうするか？」という主体性を持った一人称で考え、さらによりよくするにはどうするかという建設的批判精神、これがX軸型の知的好奇心に重要だということである。

答えを教えられたら安心してしまうか、そこからさらに考えを建設的な批判で発展させられるかどうかが「地頭型多能人」になれるかどうかの境目である。

第3章でフェルミ推定の電柱の例題を出題したが、この解答例に対してあなたはどう反応しただろうか。答えを見て安心してしまったとしたら、まだあなたには（問題解決の意味での）知的好奇心が十分ではない。筆者自身が考えてもこの解答例は必ずしもベストのものとは思っていない。「もっといい解法があるはずだ」という建設的批判精神を持ってさらによい解法を追求していただきたいものである。

本章の最後をアインシュタインの言葉で締めくくっておく。

「私には特別な才能などありません。ただ好奇心が激しく強いだけです」

第8章のまとめ

1. 「論理」と「直観」は地頭力のベースとしての両輪を構成するものである。
2. 「論理」は「誰が見ても一貫してつながっている」ことを担保する「守り」、「直観」は個人特有のアイデアを生み出す「攻め」という位置付けである。
3. 知的好奇心は地頭力の最も根源的な原動力となるものである。
4. 知的好奇心には問題解決型（Why 型）と知識型（What 型）の二種類があり、地頭力を鍛えるに当たって前者は有益だが、後者は有害ともなりえる。
5. 問題解決型好奇心を養うには何でも疑ってみて、よりよい解決策を考えてみる習慣をつけることが重要である。

第9章

さらに地頭力を鍛えるために

フェルミ推定のさらなる応用

本章では地頭力をさらに鍛えるために、これまで述べたフェルミ推定の応用と、それ以外のツールをいくつか紹介する。今後の読者の地頭力訓練の一助としていただきたい。

まずはフェルミ推定のさらなる応用として、これまでに述べた直接的な思考訓練以外の様々な事例を紹介する。フェルミ推定は身の回りの事象にも応用が可能である。ぜひとも「骨までしゃぶって」徹底的に活用していただくことを期待する。

問題解決の方法論としてのフェルミ推定

第3章での電柱の例題を通じて問題解決の縮図としてのフェルミ推定を経験していただいた。これだけの問題であれば少し訓練すればいろいろな問題に応用して習得することはさほど難しいことではなかろう。

しかしながら、フェルミ推定を実践し、地頭力を鍛えるためのツールとして活用する最大の目的は「問題解決における基本動作の習得」にある。フェルミ推定の応用範囲は広く、本書で挙げたようなフェルミ推定ができるということは問題解決をする上での単なる必要条件であって十分条件ではない。つまり問題解決のプロフェッショナルであれば誰しもフェルミ推定の考え方ができるが、フェルミ推定が表面上でできてもそれは必ずしも日常の問題解決に適用できるとは限らないのだ。むしろそれを基礎としていかに徹底的に応用できるようにするかが課題である。読者が何か新しいことを習得するときのことを考えてみてほしい。ゴルフのスイングでもあるいは分析手法の習得でも、およそ新しいことの習得に一番効果があるのは、基本動作を地道に習得した後に複雑な状況に応用していくことではないだろうか。いかにこれを実践していくのが難しいか。

ここで再び第4章の地頭課長と積上クンの会話を思い出してほしい。現実の複雑な事象を前にすると「情報が少ないのでとりあえず収集にかかる」とか「例外的な事項にこだわって先に進まない」等というのは日常的に身の回りで起きていることである。そんなときにこのフェルミ推定の基本手順やイメージが関係者間で共有されていると、複雑な現実の呪縛にとらわれた状況の共有・課題認識・改善が容易にできるようになっていく。フェルミ推定の最大の特長は、こうした一連の問題解決のプロセスがはじめから終わりまで縮図として網羅されていることである。

例えば、何らかのデータ分析をする場合にさしたる仮説もなく「とにかくデータ収集を」といって闇雲にデータ収集を開始した部下に対して、「どうやって計算するかを決める前にいきなり外に出て周りの電柱の本数を数え始めるの？」という言い方をすれば、いまやっていることの愚かさに気がついてもらい、行動の修正を自発的にしてもらうことができるはずである。

あるいは、分析の途中で個別の部分の分析が手段でなく目的化してしまっている状況、あるいはある部分だけ枝葉末節にこだわってしまっている、または他部門のアウトプットをまったく知らずして自部門のアウトプットを正確に出すことだけ気にしている人に対して、「それって最終的に電柱の本数を出すのにどれだけ影響するの？」とか「街中の電柱の配列だけ厳密に再現しても山の中の配置はどこまで正確に表現できるの？」という言い方をすれば、全体最適の概念から外れていることに自分から気がついてもらうことが可能である。

さらに筆者のこれまでの経験から、フェルミ推定のような簡単に共有できる「基本イメージ」がない場合に、概念を理解してもらうことが不可能な概念として、「少ない情報で仮説を立てる」という根本的な考え方がある。このことの意味を理解してもらうのに関してはフェルミ推定以上の有効なツールは存在しないといってもよい。フェルミ推定の基本レベルはマスターしている人でも、いざ実際の複雑な課題を目の前にすると情報や知識が少なすぎるといって仮説を立てることにしり込みしてしまう人は多いが、「電柱の本数出すよりは情報いっぱい持っているでしょ？」と指摘すれば、ボトルネックになっているのが本当の情報量ではなくてとにかく仮説を立てようという姿勢にあることに気づいてもらえるだろう。

このように、問題解決の方法論の基本イメージとしてのフェルミ推定の威力はきわめて大きい。基本動作が習得できてからが本当の戦いであることがおわかりいただけるであろうか。地頭課長と積上クンもフェルミ推定のイメージが共有できていれば同じ言葉で課題を共通認識できるようになるだろう。この意義においてはフェルミ推定の数をこなす必要はあまりない。電柱なら電柱の事例の一連のプロセスを徹底的にイメージできることが重要となる。

大企業病の治療薬としてフェルミ推定を活用する

一方で「大企業病」の克服にも有効である。大企業病の特徴として、「セクショナリズム」と「完璧主義」がある。これまで述べてきたように、フェルミ推定によって、全体のアウトプットの品質を常に考えた上で個別の分析を考えることや品質よりも時間重視でアウトプットを出していくことの重要性を肝に銘じて業務に取り組んでいく姿勢を鍛えていくことが可能である。

官僚主義に陥った組織の活性化にフェルミ推定を応用し、「結論から」「全体から」「単純に」考える地頭力の強化による官僚主義の打破を試みてはいかがだろうか。

「三分間事業シミュレーション」による起業家精神養成

地頭力強化のためのツールとしてのフェルミ推定の特徴は「自分で簡単に好きなだけ問題を作成できる」ことである。通勤電車の中や街を歩きながら自分で問題を作成して訓練することがいくらでもできるので、日常生活の中で積極的に活用することをおすすめする。これは起業家精神を養うにも役に立つ。例えば何か商品やサービスのアイデアが浮かんだときに、「果たしてこれを何人の人が買っていくらもうかるだろう？」という「三分間事業シミュレーション」などはどうだろう。これを意識していると、ビジネスやマーケティングの基本である市場規模の算出、そのための顧客セグメンテーション、さらにコスト、収益性の算出といった概念に敏感になり、新しいビジネスへの感度も自然と上がってくることになるだろう。

一つの例として読者が入ったラーメン店（あるいは何の飲食店でもよい）での収益性をフェルミ推定してみれば、「どれだけ売上げがありそうか」というのと、「どれだけ経費がかかっていそうか」という売上側とコスト側の二つの側面からの推定を一度にやってしまうこともできる。同様にインターネットを使った新しいビジネスモデルの収益性もクイックで実施してみるのも難易度は上がるが応用例としての良い訓練になるであろう。

フェルミ推定で数字に強くなる

もう一つ、フェルミ推定の「副産物」がある。それは、常日頃からフェルミ推定の習慣をつけていると、数字に関する感度が上がってくるのである。例えば、日本全国にガソリンスタンドは何軒あるか？　郵便ポストは何本あるか？　等といったことを常に考えていると、例えばコンビニの軒数が約四万軒であると新聞で読んだときには、問題意識があるのでそれらとの比較で単なる知識として記憶するよりもはるかに印象深く心に留めておくことができる。さらに色々な数字が関連してありとあらゆるものが関連してつながってきて、日本国内の市場規模推定等をする際には、おそらく全国規模では○○より多くて××よりは少ないだろうから大体△△ぐらいではないかといったような比較ができるようになり、推定の精度が上がってくる。

これは本来の「X軸」の頭の使い方というよりは、「Z軸」の活用ということになるが、知識力が地頭力によって活用されてさらにまた新たな知識が生み出されていくという、「地頭力による知識力のレバレッジ（てこの応用）」のイメージの好例ではないだろうか。

地頭力を鍛えるためのフェルミ推定以外のツール

フェルミ推定以外にも地頭力を鍛えるためのツールがある。「問題解決の専門家」としてのビジネスコンサルタントはこうした訓練を常に行って地頭力を鍛えている。「コンサルタントの道具箱」として、ここでその一部をご紹介しよう。

エレベーターテスト

コンサルタントの世界で「エレベーターテスト」と呼ばれるものがある。例えば読者がどこかのクライアントにプロジェクトマネジャーとして駐在し、社長が最終報告先であるプロジェクトを実施しているものとする。ある時偶然エレベーターホールの前で社長とばったり会って「プロジェクトの状況はどう？」と聞かれたとしよう。多忙な社長に説明できるのは、エレベーターに乗って降りるまでの三〇秒だけである。こうした場合にいかに簡潔かつ要領を得た説明ができるか？　これがエレベーターテストである。これをうまくこなすにはどうすればよいか？　ここでのポイントは、自分の取り組んでいるプロジェクトの状況を「いつでも」「短時間で」説明できるよう、心の準備をしておかなければならないということである。このためには地頭力をフルに活用しなければならない。

まずこうした場合にうまく説明するためには、①その時点での期限内でのプロジェクトの期限内での「落としどころ」（つまり「結論」である）を常に意識していなければならない、②同じくプロジェクトの「全体像」を意識していなければならない、③それらを「簡潔に」説明できなければならないという点でまさに地頭力の三要素である「結論から」「全体から」「単純に」考えることが必要となるのである。逆にこれに対しての反応の「悪い例」は、「そうですねぇ……」といって考えこんでしまう、「いまデータ分析中ですのでもう少ししたらお答えできると思います」（社長はそんな答えは期待していない。ラフでもいいからいまわかる範囲での結論の仮説は何なのか、あるいは進捗は「順調」なのかそうでないのか、そうでないとすれば主要な課題やリスクは何なのか……である）、話していることが（たまたま直前の会議で話題になった）瑣末な部分しかカバーしていない、説明を始めたが時間切れで最後まで説明できない、といったことである。

もうおわかりだろうか。実際にこうしたケースが起きるかどうかはともかくとして、「エレベーターテスト」を常に意識しておくことでどんな場合にも簡潔に全体像を説明することができるようになっていくのである。説明相手は社長でなくても自分の上司でもスポンサーでもよい。

また場所もエレベーターとは限らない。プロジェクトルームのドアがいつ突然開いて社長が現れて、「たまたま寄ったんだけど調子はどう？」等と聞かれる状況はいますぐにでも起きうることなのである。

なぜ流れ星は願いをかなえてくれるのか

「流れ星に三回願いごとをすると願いが叶う」と言われている。読者はこの話を信じるだろうか？　実はこの話にはれっきとした根拠があるのである。流れ星を実際の星空で見たことがあるだろうか？　実物の流れ星というのは、たとえ「○○座流星群」のようなかなり集中的で数の多いものであっても、何分かに一回ほんの一瞬だけ現れてすぐに消えてしまうものであり、実際にこの瞬間に願いごとを三回も言うというのは至難の技である。しかもいつ現れるかわからないので、よほどの「準備」を事前にしておかない限りはそんなことは不可能である。ここまで読んで何か気がつかないだろうか？

「非常に短時間」、「いつ現れるかわからない」……そのとおりである。流れ星の本質はエレベーターテストと同じなのだ。ではここでエレベーターテストの場合でいう「説明すべきこと」、すなわち仮説は何なのだろうか？　「プロジェクト」とは何なのだろうか？　また社長の代わりに説明すべき相手とは誰なのだろうか？

まずそもそも願いごととは何なのだろう？　願いごととは、普通は個人の人生における長期的な希望的到達地点である。すなわちこれは人生の「仮説」のようなものだ。ではエレベーターテストでいう「プロジェクト」は？　そう、プロジェクトマネジャーがあなた自身の人生そのものである。そして説明すべき相手とは？　……「天の神様」である。何千人、何万人を相手にする社長は確かに忙しいからエレベーターの三〇秒しか時間をとってもらえない。だが神様が相手にするのは何しろ「森羅万象」である。だから我々に与えられる時間はたったの〇コンマ何秒かしかなく、しかも常に抜き打ちなのである（したがってこの話は「流れ星」というところがポイントである。単なる普通の星にだらだらと祈っても効果はおぼつかない）。

もうおわかりであろう。この「神様のエレベーターテスト」に合格するためには、片時も忘れずに願いごとを単純に凝縮した状態で強く心に思い続けることが必要なのだ。一つのことをそこまで強く継続して思い続ければ、叶わぬ願いなどないはずがないというのがこの話のメッセージである。スポーツの世界でもビジネスの世界でも、夢を叶えた人たちというのは「神様のエレベーターテスト」に合格した人ばかりなのだ。これには普段から「結論から」「全体から」「単純に」考えることをとことん追求しておく必要がある。

読者の備えは万全だろうか？　「神様」はいま突然あなたの前に現れるかもしれないのだ。

なぜ「理由は三つある」のか

コンサルタントはよくプレゼンテーションや会議の説明等で「その理由は三つあります」とい

うように「○○は三つある」という言い方をすることが多い。これはなぜだろうか？

その理由は三つある（冗談のようだが本当である）。

第一は「はじめにいくつであると宣言する」ということが重要だからである（つまりこの理由に限って言えば理由はいくつでもよいことになる）。こういうふうに言うことによって、「何だろうその三つは？」と明らかに聞き手の注意が向いて身を乗り出してくるとともに、例えばメモの用意等ができるようになる。つまり、相手の脳の記憶領域に予め三つの入れ物を用意させてしまうのだ。これはすなわち、第6章で説明した「話の長い人」と正反対の行動パターンと考えていただければよいだろう。つまり、要領を得た説明という印象を持たせることができる。これは「全体から」押さえるというフレームワーク思考の応用例である。

二つ目は人間の短期的記憶容量が三つ程度だから（要は簡単に憶えきれる最大値）ということである。二つでは情報量として少なすぎるが、四つでは多すぎて少し後で思い出そうと思っても四つ目は思い出せないか、思い出すにしても「えーっと……」と時間がかかることが多い。その点で三つというのが一番都合がよい。

「3」という数字の「量的な特性」に続く最後の理由は、その「質的な特性」である。フレームワークに不可欠な網羅性を担保し、かつ冗長性を排除する（つまりＭＥＣＥである）ための視点、座標軸の数として3という数の収まりがよいということである。三つで語ることの有効性は様々な人たちが主張している話であり、本書における分類もほとんどが「三つ」になっている。

これはある意味で意識的でもあり無意識にでもある。

なぜ収まりがよいのかの理由に関してはもちろん明確な根拠があるわけではない。筆者の感覚的な推測として「空間が三次元でできている」というのが何らかの形で影響しているのではないかと考えている。フレームワークにおける視点の一つ一つのことを「軸」と呼ぶことがある。これらの軸の関連が独立であるということは、これらの座標軸同士が「直交」していることを意味する。その場合に普通の人間が直感的に感じうる三次元の空間（時間を入れた四次元空間というのは「直感的に」考えることは難しい）を「もれなくダブりなく」カバーするためには、互いに直交する三つの軸が必要である。そのために世の中には「三つ」で説明できることが多いということは考えられないだろうか。

考えてみると、世の中に存在するフレームワークも三という数字であるものが多い。代表的なものは〝3C〟であるが、この他にも例えば“Plan/Do/See”とか〝QCD〟のみならず、日本固有の言葉である、「守・破・離」「心・技・体」「走・攻・守」等といった言葉も含めて三つで説明できることは多い。その他注意して見てみると、例えば会社のスローガンやその道の達人の人生訓のようなもの（「今年の目標は、……」「……のコツは……」「私のモットーは……」等）も三つであることが多い。これは無意識にもれなくダブりなく、かつ簡潔な項目列挙をすると結果として三つになっていることが多いのである。これが「マジックナンバー3」の威力であろうか。

具体的な活用方法をご紹介しよう。例えば複数のアイデアや意見を箇条書きにするという場面があるだろう。その場合に項目の数が四つ以上ある場合には視点が重複している可能性が高い。四つ以上の項目の列挙というのは、聞き手側が把握しづらいので、重複する視点を一緒にして三つにまとめてみると格段にわかりやすくなる場合が多い。また視点が二つしかない場合には、もう一つ視点が抜けていないかをチェックしてみると何らかの発見がある場合がよくある。

読者もだまされたと思って「マジックナンバー3」の効用を今日からでも応用してみてほしい。

「一枚の絵で説明する」ということ

コンサルタントの世界で「キラーチャート」と呼ばれるものがある。たった一枚で対象となるプロジェクトの概念、分析結果等の必要事項や重要な断面をすべて網羅し、万人にわかりやすく説明できる概念図のことである。このキラーチャートの条件として、一枚の絵で対象とするものの概念がすべて表現できるということが挙げられる。「一枚で説明できる」とはどういうことか？

これまで本書で説明してきたように、これには「全体像で考える」ということと、それを「最適の断面で切断する」というフレームワーク思考が必要になってくる。

これは建築の世界に似ている。例えば家や建物を建てる場合にどんな家になるのかというのを一番端的にかつすべてを網羅する表現方法に、模型を作ってそれをどこかの断面で「切断」して重要な部屋の中が見えるようにしたものがあるだろう。キラーチャートはまさにこれに相当して、企業の改革をする際にその将来像を適切な断面で端的に表現したものなのである。

またさらにこれには「単純に考える」ということが必要になってくる。一枚の絵に表現するには、一切の枝葉を切り捨てて本質に迫らなければならない。これには「30秒チェック」や「エレベーターテスト」を駆使して「要するに何なのか」ということを徹底的につきつめて考える必要があるのである。これも「結論から」「全体から」「単純に」考えることの応用例である。

「X軸で考えてY軸で行動する」のが地頭型多能人

ここまで第1章で述べた「ジアタマデバイド」の時代を生き残るための「地頭型多能人」に必要な大きく分けて二つの知的能力のうち、本書のテーマである地頭力、すなわちX軸のほうを述べてきた。最後にもう一つの必須の知的能力である（これはレガシー会社人にも共通である）Y軸、すなわち対人感性力とどう組み合わせて力を発揮すべきか、ということについて触れておこう。これまで述べてきたように、Y軸の能力というのはいつの時代にも人間の集団で生活していくには重要な能力である。ただし、X軸とY軸の両方に習熟すべき地頭型多能人であるが故に特に留意すべきことがあるのである。

それは、「X軸の能力とY軸の能力はある意味まったく正反対の性質のものである」というポイントである。

図9-1　地頭力と対人感性力の対比

地頭力（X軸）	対人感性力（Y軸）
一般化して考える	全て特殊と考える
効率を重視	ムダを許容
一貫性を重視	矛盾を許容
マクロから考える	ミクロから考える
高所から考える	相手の目線で考える
まず疑ってかかる	まず共感する
批判的に考える	批判はしない
直球勝負	変化球勝負（時には隠し球）
白か黒か	全て灰色

図9―1にそれらの違いを整理した。まず理解しておかなければならないのは、Y軸を考える上で考慮しておくべき大原則は「一人ひとりの人間はそれぞれ個性が違い、矛盾だらけで、かつ思い込みの固まりである」ということである。したがって、個々の人間の感性に訴えるためには一人ひとりを他者と違う「オンリーワン」として扱い、相手の目線で話し、（正しかろうが間違っていようが）相手を批判せずにまずは共感し、そのために効率よりも一見無駄に見えるものも重視するという姿勢が重要になってくる。これは本書で一貫して述べてきた、「思い込みを排除せよ」「一貫性を確保せよ」「一般化して考えよ」というのと真っ向から対立する。つまり、地頭型多能人はある意味「ジキルとハイド」のように二つの人格を時と場合によって適切に使い分けることが求められる。

　では実際にはどうやって真っ向から対立する二つ

の考え方を並存させればよいのだろうか？　それは一言でいうと、「X軸で合理的に考えてY軸で感情に訴えて行動する」（Think Rationally, Act Emotionally）ということである（図9−2）。

例えばあなたは、①大好きな人からの理不尽な依頼と②大嫌いな人からの理にかなった依頼が同時にあったら（他の条件はまったく一緒とする）どちらを優先させるだろうか？　おそらくほとんどの人は①と答えるだろう。つまり「人を動かす」のに直接的に必要なのはY軸的能力なのである。ただし、これはX軸が無力だという意味にはならない。この例はあくまでも一対一の場合である。「多数の人間を動かす」ときにもとになる計画を立てるには「最大公約数」としての合理性が必須である。

もう一つの例として、人の悩みを聞いてアドバイスを与えるような場面があるとする。この場合には相手の悩みを「よくあること」といって一般化するようなことは決してしてはならない。往々にして、第三者から見れば「よくある上司と部下の悩み」だとしても、本人はたいてい「自分のケースは特別だ」と思っている。こうした場面で悩みを一般化するのは最悪の対応である。まずはY軸的に特別な相手としてしっかりと悩みを聞きだす。ところがここで、次のステップとしてその悩みの解決策を考える場合には一度X軸の世界に移行してある程度一般化し、心理学の知見等を応用した上で（所詮同じ人間である。悩みの「パターン」というのはある程度は研究されているので、どのパターンに当てはまるか考える）解決策を考えて、それを再びY軸の世界にもどって特別な個人としての相手に適用して、しっかりと相手に話すというX軸とY軸を往復し

図9-2　"Think Rationally, Act Emotionally"

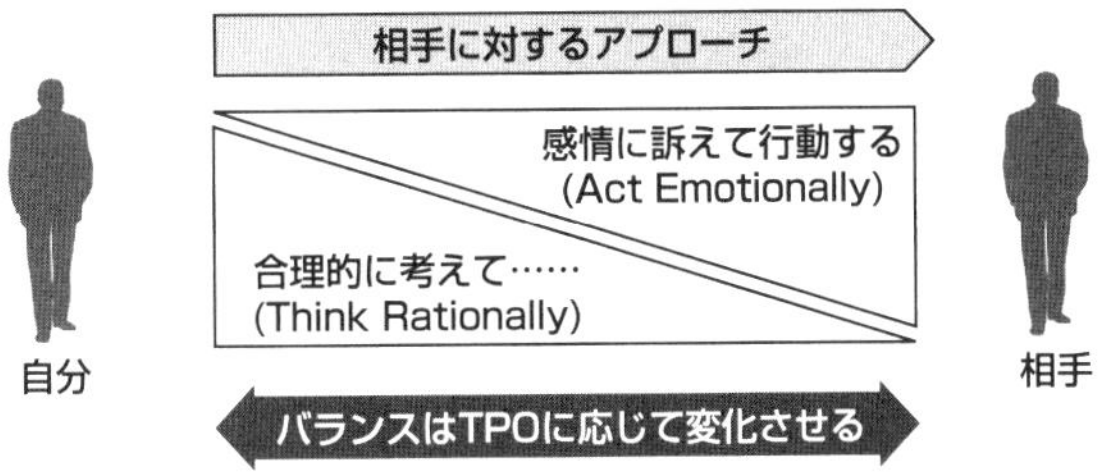

ながらの対応が求められるのである。

地頭型多能人の目指す境地

夏目漱石の『草枕』の冒頭に、「智に働けば角が立つ。情に棹させば流される。意地を通せば窮屈だ。兎角に人の世は住みにくい」という文章がある。この言葉は、この二つの能力の使い分けがいかに難しいかを的確に表現した言葉である。

図9−3を見てほしい。これは前述した、「どちらの軸で考えて」「どちらの軸で行動するか」ということを「理屈で」(地頭力：X軸）と「感情で」（対人感性力：Y軸）のどちらで行うかの2×2のマトリックスで表現したものである。右上の象限が、地頭型多能人の目指す「合理的に考えて感情的に行動する」という領域である。これに対して、左上の領域というのは、「合理的に考える」というところまではよいのだが、それをストレートに行動相手にそのまま出してしまい、行動も合理的にしてしまうというタイプである。これがまさに漱石の表現する「智に働けば角が立つ」という類の人である。理に勝った人というのは

図9-3　地頭型多能人の目指す境地

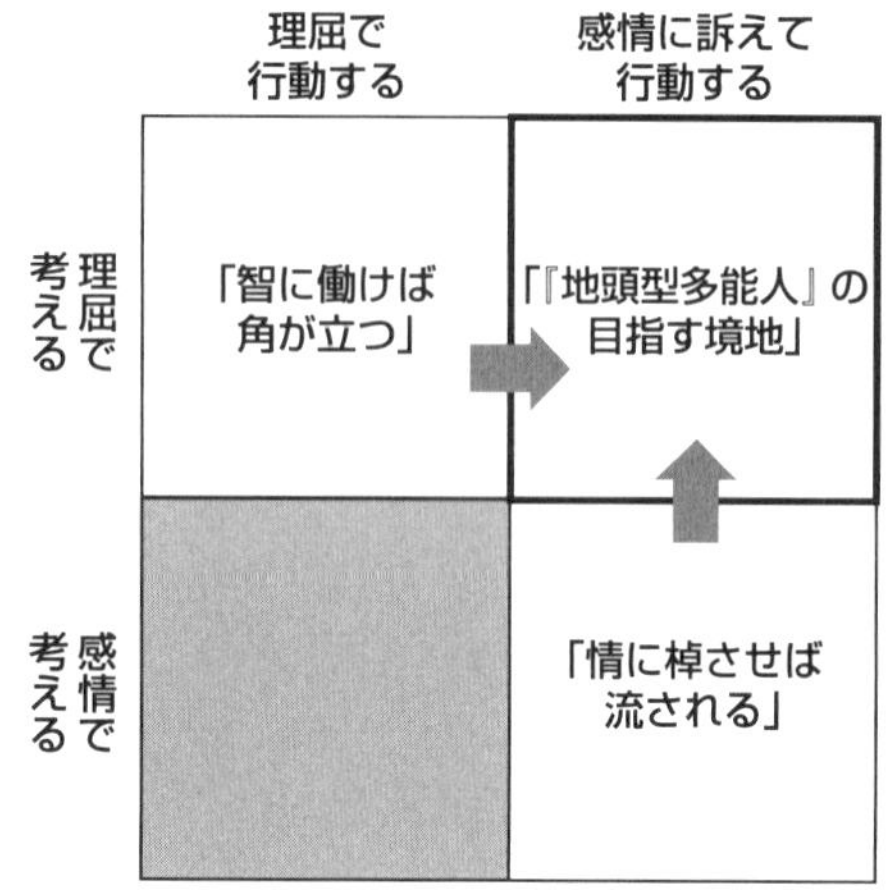

比較的感情的なケアを軽視、あるいは苦手としてとかくこの罠に落ちやすい。

一方で図9-3の右下の象限は、感情を重視し、かつ相手に合わせて行動できるのはよいのだが、自分なりの考えや判断を合理的にすることができず、漱石がいうところの「情に棹させば流される」というタイプである。やはりそう簡単にX軸とY軸をTPOに応じてうまく使い分けるスキルというのが身につけられるわけではなく、それが漱石の「兎角に人の世は住みにくい」という言葉にも表れているのであろう。だが、これが地頭力を身につけたのちに「地頭型多能人」の目指す究極の境地なのだ。

第9章のまとめ

1. フェルミ推定は問題解決の方法論として、その考え方を現実の複雑な問題に対して活用してこそ意味がある。
2. フェルミ推定は「完璧主義」や「セクショナリズム」といった、大企業病の徴候の克服にも役立てることができる
3. フェルミ推定の訓練として、通勤電車や街を歩きながらの「三分間事業シミュレーション」が役に立つ。
4. フェルミ推定によって統計等の数字に対する感度を上げることができる
5. エレベーターテストで「いつでも」「短時間で」答えられるように頭の中を整理しておく訓練ができる。
6. 頭で合理的に考えるのが「地頭力」（X軸）であるが、実践するときには対人感性力（Y軸）を駆使する必要がある。
7. これらの二つの知的能力はある意味相反するものであるが、バランスよく使いこなせるのが真の「地頭型多能人」である。

おわりに

本書の執筆に当たって、数十冊にわたる思考力、問題解決、ロジカルシンキングといった「考える力」に関しての類書をベンチマークした。その結果わかったことは、この種の著書の本質的なメッセージや著者の思考回路が驚くほど類似しているということであった。つまり人間が本来有している考える力の基本、あるいは本書で呼んでいる「地頭力」というものの本質というものは「一つのこと」であり、きわめて単純なことではないだろうか。

筆者は本書の中で地頭力の特徴を「結論から」「全体から」「単純に」考えることと定義し、これらを仮説思考力、フレームワーク思考力、抽象化思考力と呼んだ。しかしながらこれらの思考というのは完全に独立なものではなく、「根っこ」の部分ではつながっているように感じている。物理学では、すべての物理現象をたった一つの原理で説明しようという、物理学者にとっては夢のような理論の追求がされている。「地頭力」についても同様で、三つの思考力を統一するようなものに行き着くのではないか。筆者の漠然とした現在の感覚では、「地頭力」とはつきつめると「離れて考えること」ではないかと思っている。「こちら」から「向こう」へ離れるのが仮説思考、「部分」から「全体」へ離れるのがフレームワーク思考、「具体」から「抽象」へ離れるのが抽象化思考といった具合である。
本書の執筆を通じて、「考える」ことをきわめた優秀な問題解決者はこうした概念を意識的・あるいは無意識に純粋な形で活用しているために高い業績を上げられるのではないかと感じた。そして二〇世紀を代表する天才物理学者といわれるフェルミ自身がこうした考える力に抜きん出て、これをトレーニングするためのツールとして確立させた「フェルミ推定」の底力を本書の執筆を通じて改めて思い知ったのであった。

本書の執筆に際して意識した本書ならではの独自性は以下の点である。

1．これまで「アート」と思われていた地頭の世界に「サイエンス」を持ち込んで、これを具体的な習得が可能な思考プロセスとしてわかりやすく解説すること
2．もともと知られていない、あるいは単なる概算テクニックと一般には思われているフェルミ推定のプロセスや問題解決ツールとしての奥の深さを解き明かすとともに、「地頭力」との関連を明確にし、トレーニングツールとして紹介すること
3．「地頭力」の実際の応用や有用性について、ビジネスや日常生活の経験を通じて具体例を豊富に示すこと

わが国ではまだ十分に広く深く活用されているとはいえず、表面的に語られることの多いフェ

ルミ推定の意義が少しでも本書によって広まり、日本人全体の「地頭力」の向上に少しでも役立てばこれ以上の幸せはない。

本書は『Ｔｈｉｎｋ！』２００７年春号に掲載されて大きな反響を呼んだ「フェルミ推定で鍛える地頭力」をもとに全面的に書き下ろしたものである。『Ｔｈｉｎｋ！』記事執筆時より本単行本完成までを通じて、東洋経済新報社の大貫英範氏および『Ｔｈｉｎｋ！』編集長の藤安美奈子氏には大変お世話になった。筆者にとって非常に有益かつ楽しい時間を与えていただき、折に触れて助言をいただいたことに深く感謝する。

また、本書を書くきっかけとなったさまざまな洞察を与えていただいた、ザカティーコンサルティングの同僚およびアーンスト＆ヤング、キャップジェミニ時代を含めたＯＢ諸氏に感謝の意を表する。

参考・引用文献

【はじめに】
「ネットと文明　第10部　主従逆転5」（『日本経済新聞』、二〇〇七年四月二〇日）
トーマス・フリードマン『フラット化する世界』上・下（日本経済新聞出版社）、二〇〇六年（下巻に「バーサタイリスト」の記述あり）

【地頭力、考える力全般】
広中平佑『生きること　学ぶこと』（集英社文庫）、一九八四年
広中平佑『可変思考』（光文社文庫）、二〇〇六年
野口悠紀雄『「超」発想法』（講談社文庫）、二〇〇六年
大前研一『企業参謀』（講談社文庫）一九八五年
外山滋比古『思考の整理学』（ちくま文庫）、一九八六年
丸谷才一『思考のレッスン』（文春文庫）、二〇〇二年
白石昌則他『生協の白石さん』（講談社）、二〇〇五年
アリス・カラプリス『増補新版アインシュタインは語る』（大月書店）、二〇〇六年（本書のアインシュタインの言葉の引用元）
細谷功「フェルミ推定で鍛える地頭力」（『Think!』二〇〇七年春号、東洋経済新報社）

【フェルミ、フェルミ推定】
ウイリアム・パウンドストーン『ビル・ゲイツの面接試験』（青土社）、二〇〇三年

スティーヴン・ウェッブ『広い宇宙に地球人しか見当たらない50の理由』（青土社）、二〇〇四年
神田幸則「フェルミの天才性について」（『核データニュース』No.81（2005）
Hans Christian von Baeyer, *The Fermi Solution* (Dover, 1993)
Laura Fermi, *The Atoms in the Family* (University of Chicago Press, 1995)（フェルミの妻が記したフェルミの伝記。翻訳版は絶版）
Emilio Segre, *Enrico Fermi Physicist* (University of Chicago Press, 1995（著者はフェルミの弟子で、自身もノーベル物理学賞を受賞）
FERMI QUESTIONS: A guide to elementary estimation and critical-thinking skills by Michael M. De Robertis (October, 2000)（フェルミ推定の例題と解答集。ただし、理数系の題材に偏っている。インターネットでＰＤＦファイルを購入可能）

【仮説思考力】
内田和成『仮説思考』（東洋経済新報社）、二〇〇五年
スティーブン・Ｒ・コヴィー『7つの習慣』（キングベアー出版）、一九九六年

【フレームワーク思考力】
吉田たかよし『できる人は地図思考』（日経ＢＰ社）、二〇〇三年
川喜田二郎「発想法」（中公新書）、一九六七年
Stephen C. Levinson, *Space in Language and Cognition* (Cambridge University Press, 2003)（フレーム・オブ・リファレンスの解説あり）

【抽象化思考力】
岡部恒治『考える力をつける数学の本』（日本経済新聞社）、二〇〇一年
ローレンス・M・クラウス『物理学者はマルがお好き』（ハヤカワ文庫）、二〇〇四年

【地頭力のベース】
小山薫堂『考えないヒント』（幻冬舎新書）、二〇〇六年
アンリ・ポアンカレ『科学の価値』（岩波文庫）、一九七七年
コナン・ドイル『シャーロック・ホームズの冒険』（新潮文庫）、一九五三年（本書で引用した「ボヘミアの醜聞」を収録）

【電柱の統計データ】
『電気事業便覧』平成18年版（電気事業連合会統計委員会編：社団法人日本電気協会）
NTT東日本（西日本）ウェブページ「電気通信設備状況」

参考URL
　インターネット上には海外を中心として多数のフェルミ推定に関したウェブページがある。個別には挙げないが、"Fermi problems," "Fermi questions", "Fermi estimation" 等のキーワードで検索すれば容易に見つけることが可能である。

【フェルミ推定練習問題集】

以下にフェルミ推定の自習用問題を集めてみた。このあたりをとっかかりとして、読者の自習に役立てていただきたい。ただし、本文でも述べたように、フェルミ推定は自分でも容易に作成することができる。電車の中や道を歩きながらさまざまな課題を自作し、地頭力を鍛えていただくことを期待する。

- シカゴにピアノ調律師は何人いるか？
- 世界中で１日に食べられるピザは何枚か？
- 琵琶湖の水は「何滴」あるか？

（上記３問については解答例を添付したので、参考にしていただきたい。）

- 日本全国にゴルフボールはいくつあるか？
- 東京都内に駐車禁止の道路標識はいくつあるか？
- 日本全国に郵便ポストは何本あるか？
- 世界の１日の携帯通話時間の合計は延べ何時間か？
- 国会図書館の蔵書数は何冊か？（何文字か？）
- アフリカ大陸の面積は何㎢か？
- 日本全国における餃子の皮の１日の消費量は何㎢か？
- 日本全国における１日のトイレットペーパーの消費量は何ｍか？
- 日本国内で一晩に歌われるカラオケは延べ何曲か？
- 日本全国に蛍光灯は何本あるか？
- 東京駅（成田空港）の１日の乗降客数は何人か？
- 東京ドームを殻付ピーナツで満たすには何個必要か？
- 太平洋の水は何リットルか？
- 世界に「ビジネスパーソン」は何人いるか？

練習問題回答例1：「シカゴにピアノ調律師は何人いるか？」

	考慮すべきポイント	結論
アプローチ設定	・ピアノ調律師に対する年間の「需要」と「供給」という観点で考える ・「需要」とは、ピアノの台数×年間調律頻度 ・「供給」とは、ピアノ調律師の年間稼働可能回数 ・アメリカでピアノ所有や調律の常識は日本と大差なしと想定（本来日本で出題するのであれば「シカゴ」を大阪や名古屋に変えて出題すべきところであるが、この問題の背景を考慮してあえてそのまま出題とした） ・家庭以外の所有台数は誤差の範囲と想定	・ピアノ調律師の需要を満たすための調律師の人数が必要と考える
モデル分解	供給：ピアノ調律師数 × 1人当たり年間調律数 ＝ 需要：ピアノ台数 × 1台当たり年間調律数 ↓ ピアノ調律師数 ＝ シカゴの人口 ÷ 世帯当たりの平均人数 × ピアノの世帯保有率 × 一台当たり年間調律数 ÷ 一人当たり年間調律数	・左記のモデル化の通り
計算実行	・シカゴの人口は300万人と推定（米国第三の都市であることから推定） ・平均3人／世帯と推定（日本（2.49人：平成18年）より少し多目を想定） ・ピアノ保有率を10%、調律回数は1回／年と推定 ・調律師の1日当たりの調律回数は3回／日、年200日稼働を想定	・左記をモデルに代入して、167人≒170人と算出
現実性検証	・以下の部分的因数の手がかりはあるが、調律師数そのものの数字はつかめないようである（よく用いられる例題であるが、「正解」はない） ・シカゴの人口は約290万人（2000年：*US Census Bureau*） ・米国全体の人口／世帯数は2.81億／ 1.05億（2000年：*US Census Bureau*）≒2.7人	・有名な問題ではあるが、ピアノ調律師に関する「正確な」統計データはないようであり、フェルミ推定の例題では大抵75～200人が「解答」例となっている

練習問題回答例2：「世界中で1日に食べられるピザは何枚か？」

	考慮すべきポイント	結論
アプローチ設定	・「アプローチ」の選択の練習としての問題 ・「需要」（人口1人当たりの消費量）の観点か、「供給」（レストラン、宅配、自宅料理、……）の観点が考えられるが、少し考えれば需要の方が圧倒的に算出しやすく、誤差も少なくなりそうなことがわかるだろう ・ピザは世界中に浸透しているが、依然として食べない国（人）も多く、食べる国にも、多く食べる国（イタリア、アメリカ等）と少ししか食べない国（人）がありそう	・世界人口をピザの消費量によって3種類に分類し、各セグメントの1日当たりの消費頻度から算出する
モデル分解	世界消費量 セグメント1 ＝ 当該人口 × 1日消費量（1/7：1枚/週） セグメント2 ＝ 当該人口 × 1日消費量（1/30：1枚/月） セグメント3 ＝ 当該人口 × 1日消費量なし	・左記のモデル化の通り
計算実行	・世界人口は約64.6億人（うち北アメリカ3.3億、アジア39.1億、ヨーロッパ7.3億、ラテンアメリカ5.6億、アフリカ9億、オセアニア0.3億：2005年、UN, *World Population Prospects：The 2004 Revision*） ・セグメント1（週に1枚食べる）の人口は5億人、セグメント2（月に1枚食べる）の人口は20億人、セグメント3（食べない）の人口を残りの40億人と推定する	左記より ・5億×（1/7）＋20億×（1/30） ≒1.4億（枚）
現実性検証	そのまま使える数字はなさそうであるが、以下の既述がインターネット上にあり ・“30 billion pizzas consumed each year in the world.”（World Food Market 2007のWebページ）（→1日当たり約0.8億枚相当） ・「1日の消費量に換算して約3,000万枚、1秒間で約350枚ものピザがアメリカの胃袋におさめられていることになります」（シカゴピザWebページ：アメリカの人口を2.8億人とすれば平均約9.3日に1枚という計算；「セグメント1」の参考値）	・問題の性質から「正確な」データを算出することは難しいが、左記を目安とすれば上記は「倍半分」のオーダには入っていそうである

練習問題回答例3：「琵琶湖の水は“何滴”あるか？」

	考慮すべきポイント	結論
アプローチ設定	・「モデル化」の練習としての、純粋な物理量の算定問題 ・全体の計算モデルとしてはシンプルであり、琵琶湖の表面積×深さで体積を出し、それを水滴1つ当たりの体積で割って求める ・表面積と平均水深を求めるのが、琵琶湖に関する知識の乏しい回答者には難易度が高いが、これをいかに推定するかがポイント ・「オーダー」（桁数）を求める感覚で算出する	・ロジック自体はシンプルで選択肢は限られる
モデル分解	琵琶湖の水滴数 ＝ 表面積 × 平均水深 ／ 水滴の体積	・左記のモデル化の通り
計算実行	・琵琶湖の表面積を求めるヒントとして①琵琶湖は日本最大の湖である（身近などの湖より大きい）、②縮尺の小さな日本地図でも認識できる大きさである、③その名の通り琵琶の形をしている等から、30km×50kmの長方形の1/2と推定 ・水深に関しては、それほど急峻ではない周囲の地形や中に島があること、日本最深（田沢湖：400m）との比較等から50mと推定（これがおそらく一番難しい） ・水滴は半径2mmの球形程度を推定	・表面積：30km×50km×0.5 ・平均水深：50m ・水滴：$4\times\pi\times(2\times10^{-3})^3/3$（$m^3$） より 水滴数≒$1\times10^{18}$（滴）
現実性検証	・滋賀県立琵琶湖博物館ウェブページより「琵琶湖の表面積は670.25km^2、平均水深は41.2m」（→実は琵琶湖は日本の湖の中で突出して表面積が大きい） ・「水滴」といっても種類によって大きさにバラつきはあるが、1つの例として京都大学大学院理学研究科吉村洋介氏のウェブページに「5mlのホールピペットからの水滴の体積が0.04ml程度」との言及があり、ここではこれを代表値として使用してみると、上記半径2mmの球とは2割弱程度の誤差である）	・左記をベースに計算すると、 水滴数≒7×10^{17}（滴） となり、上記計算の誤差は1桁以内であった

著者紹介

細谷　功　(ほそや・いさお)

ビジネスコンサルタント・著述家

東京大学工学部卒業．株式会社東芝を経て，アーンスト＆ヤング，キャップジェミニ、クニエ等の外資系／日系コンサルティング会社にて業務改革等のコンサルティングに従事．近年は問題解決や思考力に関する講演やセミナーを企業や各種団体，大学等に対して国内外で実施．著書に『アナロジー思考　「構造」と「関係性」を見抜く』『問題解決のジレンマ　イグノランスマネジメント：無知の力』『入門「地頭力を鍛える」32のキーワードで学ぶ思考法』(いずれも東洋経済新報社)，『具体と抽象　世界が変わって見える知性のしくみ』(dZERO) などがある．

地頭力《じあたまりょく》を鍛える

2007年12月20日　第1刷発行
2025年5月21日　第28刷発行

著　者　細谷《ほそや》　功《いさお》
発行者　山田徹也
発行所　〒103-8345
東京都中央区日本橋本石町1-2-1　東洋経済新報社
電話　東洋経済コールセンター03(6386)1040
印刷・製本　広済堂ネクスト

Printed in Japan　　ISBN 978-4-492-55598-9　　https://toyokeizai.net/